SCOTS RECITATIONS

SECOND SERIES

SCOTS
RECITATIONS

READINGS AND SKETCHES

SELECTED AND EDITED BY

T. W. PATERSON

SECOND SERIES

OLIVER AND BOYD
EDINBURGH : TWEEDDALE COURT
LONDON : 98 GREAT RUSSELL STREET, W.C.

1949

PUBLISHED BY OLIVER & BOYD - - 1949

766900

820.

PAT

PRINTED IN GREAT BRITAIN BY
J. AND J. GRAY, EDINBURGH, FOR
OLIVER AND BOYD LTD., EDINBURGH

PREFACE

THE success of the First Series of *Scots Recitations* emboldens the Editor to issue this Second Series.

Grateful acknowledgment is hereby tendered to the Trustees of the late Mr Joseph Laing Waugh; Mr W. D. Cocker; Mrs Lang; Mr R. M. Williamson; The Editor of *The Weekly Scotsman*; The Editor of the *S.M.T. Magazine*; and Messrs Gowans & Gray, Glasgow, for their kind permission to reproduce copyright material.

All Rights are reserved by the Editor.

If any pieces have been inserted without the necessary permission, the Editor trusts that such apparent discourtesy and unintentional error will be kindly overlooked.

T. W. P.

CONTENTS

DOMESTIC ECONOMY

W. D. Cocker

CHARACTERS

SAUNDERS	A very old man
MAGGIE	His daughter
LIZZIE	His grand-daughter
ANDRA	His son-in-law

SCENE: *A cottar's kitchen.* SAUNDERS *sits in an armchair by the fire.* LIZZIE *sits on fender toasting bread.* MAGGIE *is laying dishes on table for evening meal.*

SAUNDERS. I'm wantin' some pease-brose for my supper the nicht.

MAGGIE. Ye'll get nae pease-brose. I'll gie ye some o' Andra's parritch; he'll be in for his supper the noo.

SAUNDERS. Whit wey can I no' get pease-brose?

MAGGIE. Ye maun learn to tak' what's gaun, like Leezie an' me. Did ye mask the tea, hinny?

LIZZIE. Ay, mither.

MAGGIE. Your faither an' me were haein' a bit crack aboot ye last nicht, Lizzie; he was sayin' it was time ye were daein' some wark.

LIZZIE. I'm toastin' the breed!

MAGGIE. Ay, but no' that kind o' wark. A' your brithers an' sisters were oot to service afore they were your age; but you bein' the youngest o' the bairns we've keepit ye at hame langer than the ithers. I jalouse your faither's no faur wrang for yince. You're a big sonsy lass, an' should be daein' something.

LIZZIE. Whatever I dae, I would like it to be something oot o' the or'nar.

MAGGIE. That's what I was thinkin' masel'. What's your grandfaither sayin' noo?

SAUNDERS [*who has been muttering to himself*]. Lassies noo-a-days a' want to dae something oot o' the or'nar. They ettle to dae a' things that men can dae.

MAGGIE. Tits! Never heed him; he's haverin'. Here's your faither comin'.

Enter ANDRA

Hae ye brocht the *Herald* as I tellt ye?

ANDRA. Ay.

MAGGIE. Gie me it. Your supper's ready; I've had mine. I'll awa' ben an' read the paper; I hae na been aff my feet a' day.

Exit MAGGIE

ANDRA [*sitting down at table*]. Hoo are ye the nicht, Saunders?

SAUNDERS. Fair exasperatit, Andrew, fair exasperatit.

ANDRA. What's wrang?

SAUNDERS. I've to get nae pease-brose.

ANDRA [*aside*]. Has the wife been flytin' again; I thocht she was kind o' snappy like the nicht.

SAUNDERS. Maggie's like the lave o' weemen folk; they're a' the same.

LIZZIE. What's that ye're sayin', gran'faither?

SAUNDERS. Naething. Jist haverin'.

LIZZIE *pours out tea for herself, and sits down to supper with her father, who has attacked a plate of porridge.*
SAUNDERS *begins to sleep by the fire*

ANDRA. Be canny on the kebbuck, Lizzie.

LIZZIE [*cutting large slice of cheese*]. Are ye feart ye'll get nane?

ANDRA. I would get nae mair than a moose gin I didna haud ye back. Ye've gotten a maist extrornar appetite, lassie.

LIZZIE. You're daein' no' bad wi' the parritch. Gin I took a plate o' parritch like that I would hae nae room for mair. But I've taen a staw at parritch.

ANDRA. Gin ye'd dune a day's darg at the plooin' like I have ye wouldna turn up yer neb at plain parritch. Guid save us! Are ye no' feenished yet? Be canny on the bannocks.

LIZZIE. Mither says I'm a growin' lassie an' maun be guid to masel'. If I didna' tak' plenty o' meat I micht dwine awa'.

ANDRA. Dwine awa'! Nae fears! Tits, lassie, be canny on the butter. Ye'll eat us a' oot o' hoose an' hame.

LIZZIE. Ach! Faither, ye're aye girnin'. They say "Clever at meat, clever at wark."

ANDRA. Clever at wark! Ye have na dune a haun's turn sin' ye left the schule. But this maun come to an end. Ye'll hae to tak' a fee on a ferm. Ye maun earn yer keep, an' see if ye can fare better awa' frae hame. Yer faither micht as weel try to feed an elephant as feed you.

LIZZIE [*bursting into tears*]. I'm no' wantin' to tak' a fee on a ferm.   *She rises from the table*

ANDRA. Hoots, then, dinna greet. Ye'll wauken yer gran'faither.

LIZZIE. I'll tell ma mither.

ANDRA [*in alarm*]. Oh, michty me! Hey, Lizzie!

LIZZIE goes out

SAUNDERS [*wakening from a doze*]. Wha's been meddlin' the wean?

ANDRA. Naebody.

SAUNDERS. I heard her greetin'. Thae lassie bairns are gey fractious, gey fractious. No' like laddies. I'm sayin' they're no' like laddies, Andra.

ANDRA. I'm hearin' ye.

SAUNDERS. Lassies are no' like laddies. Ye canna skelp them sae hard, na, ye canna skelp them hauf sae hard; they would jist greet the mair.

ANDRA. I'm no' wantin' to skelp her. She's ower big for that.

SAUNDERS. Ye're feart, Andra. When yer wife, Maggie, was a wean I was aye thinkin' to tak' her in haun some day, an' mak' her hae some respec' for her faither. But I aye kept pittin' it off. An' then she got mairried an' I thocht to masel': Her man'll keep her in order. Jist that, her man'll keep her in order. But I doot ye're ower saft, Andra, ower saft wi' weemen and weans.

Enter MAGGIE

MAGGIE. Andra Broon, what's this ye've been sayin' to Leezie noo?

ANDRA. Naethin'.

MAGGIE. Ye've been tellin' her she'll need to tak' a fee on a ferm.

ANDRA. Weel, is't no' time she was gaun oot to service? She's fifteen year auld, an' a great muckle lassie. She eats mair than the twa o' us thegither. Dae ye ken what it costs to keep her?

MAGGIE. Dae ye grudge the puir lassie every bite she pits in her mooth?

ANDRA. No' every bite, but a wheen o' them. She has the board cleared afore I hae feenished ma parritch. She'll need to haud back frae the bannocks an' gie ither's a chance, or gang oot to service on some ferm.

MAGGIE. She'll gang oot to service nane. She'll gang intae the toon an' get a place in some genteel-like shop. That's what she'll dae. Because her faither's a plooman that's nae reason why she should milk kye, or muck oot a byre.

ANDRA. What's wrang wi' milkin' kye?

MAGGIE. A braw lass like Lizzie would be fair wasted on a ferm. She would come to nae better end than her faither, she would be a naebody a' her days. My mind's made up. We'll get her a place in the toon.

Enter LIZZIE

LIZZIE. I've no' to tak' a fee on a ferm, mither?

12

MAGGIE. No, my dawtie. Hoo would ye like to gang to Glesca an' get a job in some genteel-like shop?

LIZZIE. Fine.

MAGGIE. Then that's what ye'll dae. Naebody need ken that yer faither's a plooman.

ANDRA. Rabbie Burns wasna ashamed to haud the ploo.

MAGGIE. Gin I thocht ye did hauf the things Rabbie Burns wasna ashamed to dae I would gar the stour flee frae ye.

SAUNDERS. I'm wantin' some pease-brose for my supper.

MAGGIE. Ye'll get nae pease-brose. I'll gie ye a cup o' tea an' a piece an' jeely.

SAUNDERS. Whit wey can I no' get pease-brose?

MAGGIE. I canna thole the smell o't.

SAUNDERS. Tits! woman, ye're daft; ye were reared on it.

MAGGIE. Maybe that's the reason.

SAUNDERS. It's nae reason ava, it's just that ye're geyan thrawn. But the young yins has lost a' respec' for the auld yins noo-a-days.

MAGGIE. Young yins are ye sayin'? I'll be sixty come Michaelmas, an' I'm a granny.

SAUNDERS. That mak's nae differ. I'm eichty-fower, an' I'm yer faither.

LIZZIE [*reading the newspaper*]. Mither, listen to this: "Wanted a young lady, tall, good figure, to train as manniquin."

MAGGIE. Let me see. [*Takes paper and reads*] "Wanted a young lady, tall, good figure to train as manniquin." The very thing. It's you they're wantin', Leezie, that's clear eneuch. It gies a number to write to the paper, nae address. But it'll be some big drapery warehoose in the toon. Andra, jist clear awa' the supper dishes, an' Leezie an' me'll gae ben and write a letter at yince.

LIZZIE. A manniquin! I've aye had an awfu' notion to be a manniquin.

Exit LIZZIE *and* MAGGIE

SAUNDERS. What's a mannikin, Andra?

ANDRA [*removing dishes*]. I dinna ken.

SAUNDERS. There's a wheen queer treds in the ceety that folk in the country ken naethin' aboot. But I doot by the sound o'it that it'll be a man's job. Weemen try a' things noo-a-days.

ANDRA. It's this cairry-on aboot "votes for weemen" that's gane to their heids.

SAUNDERS. Ay, they're tellin' me that even the bit lassies hae votes noo, an' that some o' them hae gotten intae Parliament. I doot that'll no' jist be richt, an exaggeration like, but we're comin' till't. We're comin' till't. Gie them an inch an' they'll tak' an ell.

ANDRA. It's ower true.

SAUNDERS. Sin' auld Queen Victoria dee'd weemen hae gane clean oot o' haun a'thegither. The auld queen would hae sortit them gin they had askit votes frae her.

ANDRA. She would that.

SAUNDERS. I mind when I was a wee callant speirin' at the dominie what a unicorn was; there was yin pentit abune the door o' the Drumclarty Arms. "Saunders," says he, "there's nae sic beast, or, if there ever was, the species is extinc'." An' that's what I think aboot weemen! the species is extinc'.

ANDRA. Saunders, I whiles think ye hae the wisdom o' Solomon.

SAUNDERS. I hae the wisdom o' Solomon, but I haena got the patience o' Job. I would like to sit in judgment on the hale creation o' weemen.

ANDRA. Ye should hae been a meenister, Saunders; ye could hae flytit fine in the pulpit.

SAUNDERS. Weemen hae changed a'thegither sin' my young days. I scarcely ken them noo; they're like some new kin' o' cratur that the Almichty has pit intae the world for a judgment—like the plague o' locusts that we read aboot in the Guid Book.

ANDRA. The young yins are the worst.

SAUNDERS. I hae my doots. There's nae denyin' that the young lassocks are as bonnie as ever, as bonnie as ever, Andra, but it fair gies me the scunner to see their mithers an' their grannies kiltin' their coats abune the knee like bairns, an' playin' sic queer pliskies wi' their hair, clippin' their heids like laddies, or washin' it till it stauns oot like a bunch o' tow.

ANDRA. It's the change o' fashion.

SAUNDERS. Fashions change but folk shouldna change wi' them. A man doesna change his hale natur ilka time he pits on a new sark. Weemen hae forgotten their leemitations, they ettle to dae a' things that men can dae. Frae smokin' ceegarettes to drivin' motor caurs there's na' a thing they winna try. Here's Leezie wantin' to be a mannikin. An' ye say naethin', Andra. Ye're feart.

ANDRA. No feart, Saunders; jist resigned like. In ony case, she can bide at hame nae langer; she's costin' me mair than a coo's keep. She's gotten a maist wunnerfu' appetite.

SAUNDERS. Feedin' a wean is no' like feedin' a pig; there's nae great pleasure in fattenin' them; there's nae return on your money, as ye micht say. My advice to ye, Andra, is, if Leezie wants to be a mannikin, let her.

ANDRA. Dae ye think she'll be able for't?

SAUNDERS. She's a big strappin' lassie. Some hard reuch wark'll maybe dae her guid. Gin she finds that bein' a mannikin is ower sair on her, she'll be mair content to come back to some easy woman's job like milkin' kye or scrubbin' flairs.

Enter MAGGIE *and* LIZZIE

MAGGIE. We've written the letter. Leezie can post it

the morn's mornin'. I see ye've left me the dishes to wash. I ken wha's hard wrocht in this hoose.

ANDRA. Gie me the letter. I'll tak' a dauner ower to the village wi' it the noo, an' hae a draw at my pipe afore I gae to my bed. The sooner it's posted the better.

LIZZIE. Ay, faither. If ye post it the nicht, they can write me an answer the morn.

MAGGIE. Dinna ca' in at the inn for a stamp. Davie Black, the beadle, will obleege ye; he aye has them.

ANDRA. Ay. *He goes out*

LIZZIE. My! I'm fair taen on wi' the notion o' bein' a manniquin.

MAGGIE. Are ye, my dearie? Weel, I'm gled that's settled.

LIZZIE. I'm feelin' quite hungry noo; I hadna got richt stertit to my supper when this began.

MAGGIE. What would ye like, hinny?

LIZZIE. I think I would like a wee drap pease-brose.

SAUNDERS *is alert*

MAGGIE. Weel, I'll pit on the kettle. Get doon twa bowls; ye can mak' a wee tait for your gran'faither when ye're at it.

SAUNDERS *says nothing, but his expression is one of cynicism and satisfaction combined*

DANDIE

W. D. COCKER

COME in ahint, ye wan'erin' tyke!
Did ever body see yer like?
Wha learnt ye a' thae poacher habits?
Come in ahint, ne'er heed the rabbits!
Noo bide there, or I'll warm yer lug!
My certie! ca' yersel' a doug?
Noo ower the dyke an' through the park:
Let's see if ye can dae some wark.
'Way wide there, fetch them tae the fank!
'Way wide there, 'yont the burn's bank!
Get roon' aboot them! Watch the gap!
Hey, Dandie, haud them frae the slap!
Ye've got them noo, that's no' sae bad:
Noo bring them in, guid lad! guid lad!
Noo tak' them canny ower the knowe—
Hey, Dandie, kep that mawkit yowe!
The tither ane, hey, lowse yer grip!
The yowe, ye foumart, no' the tip!
Ay, that's the ane, guid doug! guid doug!
Noo haud her canny, dinna teug!
She's mawkit bad; ay, shair's I'm born
We'll hae tae dip a wheen the morn.
Noo haud yer wheesht, ye yelpin' randie,
An' dinna fricht them, daft doug Dandie!
He's ower the dyke—the de'il be in't!
Ye wan'erin' tyke, come in ahint!

From *Dandie and Other Poems*. By kind permission of the Publishers, Messrs Gowans & Gray Ltd., and also of the Author

THE ASPIRIN' JOINER

Joseph Laing Waugh

There's ae thing about Grizzy an' me, we've no' been jumpers, we've been creepers. Ocht by-ordinar we got for the hoose was bocht after great deliberation, an' wi' the cash in oor haun. And we've aye keepit a quiet sough.

Of course, there are differences o' folk. There's Curdie Callander, noo, the joiner, he's dune weel, I understan', and if his heid disna get ower big for his bonnet I've nae doot he'll gang far. He flew laigh to begin wi'; but lately I've seen signs o' "the big yin" peepin' oot, an' if Curdie tak's my advice he'll ca' canny. They tell me it's the wife wha has the big ideas, and it's weel eneugh kenned that, birky tho' he be, he's just like a bit o' putty in her hauns. No lang after he started for himsel' he got a decent payin' job, and she bocht yin o' thae whatnot things to staun in a corner o' her parlour. Soon after she bocht a lookin'-glass for abune the mantelpiece, and a carpet for the floor, and the ither day, nae farther gane, what think ye she got? A piano, sir, fac' as death. It cam' on the lorry, and it took six men to lift it in. She had to tak' doon the bed in the parlour to gie it room to staun, and where her puir boys are sleepin' now, guidness only kens.

Curdie and me foregathered the ither night, and landed opposite his door. He wad hae me in, and took me richt ben to the parlour. "What think ye o' that lookin'-glass, noo, Doo? and d'ye ken a piano when ye sin yin? Look about ye. There are few parlours buskit like this in Thornhill, I tell ye; but mind ye, Robert, I'm no' boastin', or showin' off my gear in a chawsome way, ye ken. Na, na-imphm. Waxcloth was guid

18

enough aince on a time, but it has a cauld feel to the feet. What think ye o' that carpet, noo? Hoo muckle d'ye think that cost?"

"Man, Curdie," says I, "I'm no', as ye ken, in the carpet line. Grizzy, I'se warrant, could tell ye to a halfpenny, but frae the look o't I wad say—oh, thirty pounds, maybe—eh?"

"Oh, Moses!" says he, "thirty poun'; gie's a chance, noo, Robert Doo. Great Caesar, man—thirty poun'; and me juist a joiner."

"Weel, weel," says I, "we'll say thirty bob. Is that ony nearer't?"

Man, he lookit at me wi' what my freen Corson, the sclater, ca's a look o' disdain. He didna answer me, but he blew pipe reek like mad. In a wee while, says he:

"Man, Robert, it's awfu' nice to hae a guid lookin'-glass in the hoose. It took me a' my time to shed my hair in the auld yin we used to hae, so we took doon the picture o' John Knox frae abune the mantelpiece, and fixed that up—best quality, bevel edged, quarter plate. It's a decided change for the better. I never liked that photograph o' Knox, onyway. John's beard was aye ower lang to be bonnie."

"Imphm," says I, "a lookin'-glass wi' weel-faurt folk is muckle in demand, and ye'll need it aften, Curdie; but what's that in the corner there, wi' the jugs on't?"

"Oh," says he, "that's what they ca' a whatnut. It's a shogly-lookin' thing, I admit, but it's handy, and Mirren tells me it's the correct thing to hae. And of course ye'll ken what that is," pointin' to the piano.

"Gosh," says I, "that's a braw thing, noo, bonnie marks on the wood-wark—walnut, I should say. Does it tak' up much room when it's laid out?"

"Laid out!" says Curdie. "Laid out! in the name of wonder what dae ye think it is?"

"A foldin'-doon bed," says I.

"Oh, Robert Doo, where were ye brocht up?" and Curdie laughed in a kind o' superior way. "That, man, is a piano for playing music, ye ken. Mirren, the wife, has lang tell't me she was born wi' piano fingers, and as the Toonheid job turned oot better than I expected, I gied in to her an' bocht this, and there it sits. Imphm! I've mair mercies than I deserve, certainly mair than I expected, and I've only ae regret, and it is that my mither, puir body, wasna spared to see this parlour."

Mirren's piano fingers took my fancy. Her mither had tarry fingers, and as I sat there it flashed through my mind that aince the auld yin ran a narrow shave o' the jail for liftin' a set o' fire-irons at a roup. "It's a beautiful affair, Curdie," says I, "a beautifu' affair a'thegither; but dod, man, where's the handle?"

"Handle!" says Curdie, and he took the pipe frae between his teeth. "Handle! And what micht ye want wi' a handle, noo, Robert?"

"To caa' the music roon," says I.

"To caa' your grannie. This is no' a hurdy-gurdy; this is a piano. It's wrocht here," and he lifted the lid and tum-tummed aince or twice. "I'm nae great haun at it mysel'," says he, "but Mirren can dirl't up. Wad ye like to hear her?"

I tell't him it wad afford me the greatest o' pleasure.

"Mirren, woman, ca'way ben here and gie's a tune on the piano. I've an auld freen here wha's terrible keen on music."

I could gather frae the noise ben the hoose that Mirren had something else to do than play a piano, an' in nae very choice words she cried to Curdie to that effect, but he wadna be said nay, and, in a wee, ben she cam' wi' ae wean in her airms and anither hingin' on by her frock.

"Oh, Maister Doo, it's you, is it?" says she, as she

wipet her face wi' her apron. "Ye do tak' me by surprise. Had I kenned ye were comin' I wad hae been prepared for ye."

"Hauch," says Curdie, "you're prepared eneuch; sit doun here and gie us 'Duncan Gray.' Maister Doo's juist deein' to hear a piano."

"Curd," says she emphatically, "are ye in your richt mind? Hoo can ye ask me to play before a musicaner like Maister Doo?"

"Maister Doo's nae musicaner, woman," says Curdie, "or he wad hae kenned the difference between a piano and a foldin'-doon bed. Ca'way like a lass, noo."

"Were you no' in the Thornhill brass band aince on a time, Maister Doo?" asks Mirren, wi' her heid to the side like a hen drinkin' water.

"No," says I, "I was not, Mrs Callander; but my cousin, Weelum Ritchie, played the big drum, and my next-door neibor that was, Dempster the plumber, played the trombone. That's a' the connection I had wi' the baun."

"Imphm! I aye thocht ye were musicakly inclined. Noo," says she, "I dinna care aboot playin' before critics, as I'm no' sae far up as I micht hae been had I ta'en mamma's advice and watched the organist tichter."

"Come on, noo, Mirren," pleaded Curdie, and Mirren, assured o' her audience, sat doon wi' the bairn on her knee and played wi' her richt haun what dootless was "Duncan Gray," but I canna tell for certain.

"Can ye no' bang't wi' baith hauns?" asked Curdie encouragingly, when she had finished.

"Hoo can I dae that wi' the wean on my knee?"

"Oh, I'll tak' the wean," says Curdie, suitin' the action to the word, and "into your wark, Mirren. Go for its wee black teeth as weel as its white yins, and oot wi' the 'Keel Row,' like a lass."

Boys, oh, boys! what a din. It micht or it micht no'
be the "Keel Row"; but it was a row, the maist awfu'
row I ever heard in a' my life. And she went for it,
mind you, quite satisfied wi' hersel,' and Curdie was
enjoyin't, for he sat like a Merry Andra, jinkin' the
wean on his knee to the lilt o' the music, and jerkin'
his heid frae ae side to the ither, keepin' time to the
tune.

When she finished the "Row" she started a hymn,
and the wean began to greet and the cat slid cannily
oot o' the room. I wished I could hae followed the cat,
but I had to sit through the performance o' some ither
things. When she was finished she turns roon, and,
says she, "Has Mistress Doo a piano?"

"No," says I, "but she's got a fell guid-gaun mangle."

"Man, Robert, isn't a fine thing, music?" says Curdie.
"Get a piano, man. What's the guid o' siller if ye dinna
mak' use o't? But maybe Mrs Doo hasna got piano
fingers?"

I said I didna ken aboot piano fingers, but for ordinar'
everyday wark she had ten o' the very best I ever saw
on twae hauns, and when I reached my ain fireside that
nicht the thocht cam back to me and my reverence for
Grizzy was a' the mair deeper.

By kind permission of the Trustees of the late Joseph Laing Waugh

THE BEADLE'S LOVE STORY

Joseph Laing Waugh

The following extract, from *Heroes in Homespun*, by Joseph Laing
Waugh, is one of the finest bits of pathos in the Scottish language.

Tammas Tosh, the old beadle in Shinnel Kirk, was in his youth
engaged to be married to Mary Oswald, but an unjust accusation against
Tammas separated them. In course of time Mary married, but Tammas
remained single. Several years afterwards, Mary's husband died, leaving
her penniless and crippled with rheumatism. In order to prevent her
being sent to the poorhouse Tammas, anonymously, through the minister,
gave her annually £25. A new minister, Mr Crosbie, came to Shinnel,
and on asking him to act as medium for the handing over of his gift
Tammas told him his love story.

IT'LL be nine-an'-forty years come the sixteenth o'
next month since last I spoke to Mary Oswald. I dinna
mind when I didna ken her, for we were brocht up
thegither at the heich en' o' the parish. We gaed to the
same schule, an' in coorse o' time I took a place wi' her
faither, wha looket efter a wee led ferm that's noo lyin'
in to Auchenbrack, an' she helpet her mither wi' the
hoose an' the kye.

Man, man, thae were happy days, for youth an' hope
made work lichtsome an' nocht cam' wrang to oor
haun's. An' they were happy foornichts too, for, oot-by
in the simmer gloamin' we sat thegither till the stars
cam' oot, an' the whaups were quate. An' in the lang
dark months the ingleneuk was the brichtest place on
earth to me, juist because she was there. . . . Oh, thae
nichts in that high-wa'ed kitchen wi' its hame-cured
hams on the bauk, an' its white-scrubbed tables an'
chairs . . . an' the auld oak settle; . . . eh, what a cosy
place it was. . . . Ay, an' the guesses we gied, the stories
we tell't, an' the sangs we sang—"Jamie Foyers,"
"Afton Water," "The Lea Rig," an' "When ye gang
awa', Jamie"—nane o' your high-falutin sangs, but a'

wi' their hamely memories, an' every yin kenned an' felt by us, juist as if they had been in oor mooth when we were born. I dinna mind when first I heard them, for my mither crooned them in my ear when I lay on her knee, an' Mary Oswald sang them at her wark—inby an' ootby—the kye were milket, butter was kirned, the wylie was turned—a' to the lilt o' her sweet bit voice in thae dear auld sangs. . . . Ay, an' then there was the dancin' on the . . . eh, dod, Maister Crosbie, did ye ever dance at a kirn?

"I have, Tosh—after a rare high tea—in the barn, and on a flag floor——"

Ay, sir, that's it—ay, ay, an' the lichted cannles here an' there on the wa', an' the lassies, in braw goons wi' roses in their breists, an'—an' the white stockin's on the shapely taper ankles they showed in "Paddy O'Rafferty," "The Flowers o' Edinburgh," "Petronella," an' "Pea-Strae." An', eh, Maister Crosbie, when the dram gaed roon' and roon', an' better roon', an' we fettled to oor wark, an' the cannles spluttered oot an' never were missed, an' the fiddlers sleepet ouer their drams but keepet scrapin' on their strings—eh, the liltin' an' the cleekin' an' the hoochin', an' the kissin' —mercy me, when I think back on't, the bluid loups in my veins, an' I'm young again. Ay, an' when the stoor was settlin', an' the maesic lowned, an' the caller air cam' in frae the open door, every Jock had his Jenny, an' I, wi' the lave, had mine—my very ain wee Mary Oswald.

It was on sic a nicht an' at sic a time I held her in my airms at the stackyaird yett. She looket up at me, an' the glint o' her een was mellowed in the munelicht, an' her toozled, bonnie-smellin' hair was blawn on my cheek. . . . What I said I canna tell, but efter I had said it she crept closer to me, an' she didna want to gang back to the dance. So we stood there, clespet haun' in haun', an' cheek to cheek, till the dancers quat an' a' was quate. . . . O God, to my dyin' day let the memory o' that dear nicht be mine.

Then there cam' another nicht I aye want to forget an' canna. It was comin' on for the Martinmas term an' I was leavin' to better mysel' an' mak' a hame for Mary. . . . Weel, juist then a pair o' new sheep-shears gaed amissin'. Naebody was blamed, but every yin was uncomfortable. Rab Todd was my neebor at the time— a big, wice-lookin' falla he was, but I never liked the way he looked at Mary—an' when the fracas aboot the shears was at its heicht he said to Weelum Oswald that if I was willin' that my kist should be searched he wad turn oot his. I refused, for I was angry I should be suspected, but in the end I agreed. *An' the shears were found in the bottom o' my kist.* I juist stood tongue-tacket an' dumbfoundered. I never was guid at speakin' up for mysel'; an' less able than ever, when my guid name was at stake. I tell't Weelum I didna put them there but he didna believe me. . . . "Tammas," says he, "ye were leavin' at the term—I've nae time to watch a thief; ye'd better leave the nicht."

The whole thing had come so quick on me, an' the upshot o' it a' so unexpected, that I juist stood like a stookie. Then, without anither word, Weelum an' Rab gaed oot, steckin' the bothy door behind them wi' a bang, an' dazed an' baised, I sat me doon on my kist. Efter a week, when I realised how things stood, I gaed ouer to the hoose to see Mary. She was staunin' greetin' quately at the back kitchen winda, an' when I spoke she didna answer me. Then in a wee, an' between her sabbin's, she tell't me I had brocht shame upon her, an' broken her hert. I swore solemn to her I was innocent, but she shook her heid, an' tell't me to leave her, an' never seek to see her face again. I looket lang at her, wonderin' hoo it cam' she wisna stickin' up for me an' takin' my pairt. . . . She shoud hae dune, but, puir thing, she was young, an' mebbe didna tak' the time to think. I didna judge her then, an' I'm no' to judge her noo. . . . Ay, I left at the darkenin'—gaed doon the glen ahint a cairt wi' my kist in't, an' since that back-en' nicht the worl' has never been the same to me.

When next I spoke to Mary Oswald she was a mairret woman, and Rab Todd was her man. . . . I was comin' hame ae nicht frae Brig o' Scaur, juist afore the darkenin' —no' whusslin' as yince I did, an' wi' nae een for the beauty o' the gloamin' sky. Away on in front o' me was a woman carryin' a basket, but she was weel aheid, an' I gaed her nae thocht. Juist at the turn on the road in the wud, afore I cam' to Clonrae road en', I cam' up wi' her. She was sittin' restin' on a laigh pairt o' the dyke, wi' her basket beside her, an'—an' it was Mary Oswald. Man, my hert gied a stoun', an' I felt the bluid rinnin' cauld in my veins, an' I was so weak aboot my knees that I hadna the spunk o' a gorlin'. When she saw it was me she stood to her feet, an'—an' I noticed she was as puttin' aboot as I was, for she changed colour again an' again, an' she clutched at her shawl as if it was ouer ticht roon' her neck. Naether o' us spoke for a wee—we juist looket at yin anither . . . then her bit heid drapped, an' I was near enouch to her to see there was a tear on her white set face.

"Mary," I said, "we—we're baith gaun the same road. I'll cairry your basket, if ye'll let me."

"Thank ye, Tammas," says she, wi' a catch in her voice. "It's—it's really no' heavy."

Man, man, when I heard my name yince mair comin' frae her dear lips, I forgot for the meenit she belanged to anither, and the dyke-side o' Clonrae mairch melted before me into the stackyaird yett at the dear auld hame. I shut my een juist to keep the picter wi' me as lang as I could. . . . When I looket up again she had come forrit nearer me.

"There's something on my mind I wad like to tell you, Tammas," she said. "I micht never get the chance again—no' that it maitters noo, but I think it only richt an' just I should speak. . . . Ye mind that nicht in the back kitchen when I—I——"

She stoppet, an' gied a bit gasp as she saw the red bluid floodin' my neck an' cheek. "Oh, Tammas," she cried, "*you* have nocht to be ashamed o'. It's me an' mine that hae. Oh, I micht have kenned ye were innocent then. . . . I ken for certain noo. He tell't me himsel', no' confessin', but in a boastin' way, hoo—oh that I should hae to say it o' the faither o' my wee bairn —hoo he put the sheep shears in your kist to bring shame on your name, an' mak' a brek between you an' me. An' it did. Oh, it was shameful—shameful, Tammas; and when he tell't me, I was so sorry for your sake that I begget him to own it a' to you, an' ask your forgiveness. But he wadna—and—and I said I wad, if I got the chance.

A' at yince she hauf-turned, in a stotterin' wey, an' put a steadyin' haun' on the dyke tap. In a moment I was beside her, and, tinein' a' reason an' discretion, I put my airm aroon' her.

"Mary," says I, "what's dune canna be undune, but oh, my ain wee lost doo, look into my een—juist yince an' for the last time put your airms aroon' my neck an'—ay, lassie, I'm here." . . . An' oor lips met in a kiss—oh, merciful God in heaven, forgive me an' her— but was there ever sic a kiss gi'en an' ta'en? . . . She steppet back, an' held doon her heid.

"Mary, my lass," says I, "look up; you've nocht to be ashamed o'. In the providence o' God we've met here, an' we've been preveleeged the noo to taste o' a moment o' a heaven that'll make up for years o' a hell before us. Be brave, my wee woman, an'—an' gang your weys alane, an' I'll stey here a wee. Oh, Mary, if I didna love ye wi' a love as pure as the hezel air we're breathin' I wad say bide beside me here till the stars look doon on us, an' through the whisperin's o' the nicht till your bonnie broo was baptized in the dew o' the mornin'. But that canna be. You an' me maun pairt, here an' now. Guid-nicht, my dear wee lass, an' guid-bye."

She gied a bit sob as I turned frae her. I shut my een, for I couldna thole to see her gaun her lane. . . . Ay, Maister Crosbie, that's nine-an'-forty years come the sixteenth o' next month, an' her an' me have never spoken since. It has been a gey queer, drab worl' to me, but, in a wey, it has had its compensations, for I've been preveleeged to help her, an' God has gien me health to do sae. Ay, sir, an'—an' that's a'.

From *Heroes in Homespun*, Hodder & Stoughton, by kind permission of the Trustees of the late Joseph Laing Waugh

MRS CHAR RULES THE ROOST

Margaret M. Muir

CHARACTERS

MISTRESS	Spinster lady, rather prim
POLLY	The maid. North-country girl, about twenty
CHARWOMAN	Older than Polly. Untidy
BOOK LADY	Dowdy and short-sighted
AGNES	Friend of Mistress, about same age, well dressed
OLD CLOTHES WOMAN	Irish
PLUMBER	Dungarees, wears cap throughout—part suitable for tall girl
DOG	Stuffed or toy dog suitable

SCENE: *Sitting-room with desk and chair at right, wastepaper basket on floor, and some chairs. Writing materials on desk.* MISTRESS *enters, wearing small apron and carrying small feather duster. She crosses to desk. Motor horn sounds off.*

MISTRESS [*calling off*]. Polly! Polly! There's the taxi.
     POLLY *enters in outdoor garb, with umbrella, handbag and case. She hangs umbrella on chair back while she looks inside handbag*
Are you quite ready, Polly?
     POLLY [*sighing*]. Ay.
     MISTRESS. Gloves?
     POLLY [*woebegone*]. Ay.
     MISTRESS. The ticket for your box?
     POLLY. Ay.
     MISTRESS. Dear me, Polly, you don't seem very cheery about your holiday.
     POLLY. I canna be bothered gaun holidays. I'll just be at hame daein' a' the wark.

MISTRESS. Now, now, Polly, the change will do you good, and I'm looking forward to being by myself for a little.

POLLY. I wish you had got a sensible girl till I cam' back instead o' that charwoman.

MISTRESS. Don't worry, Polly. The charwoman does nicely.

POLLY. Ay, when I'm there to keep my eye on her.

Motor horn sounds off

MISTRESS. You're keeping the taxi waiting, Polly. [POLLY *is ready to go off*.] Send me word when you get home.

POLLY. And you'll be sure and write for me if you get into a muddle?

MISTRESS. Tuts! I'm not going to get into a muddle. Hurry now, Polly.

POLLY. Weel, ta, ta, the noo.

She goes to exit

MISTRESS. Good-bye.

POLLY [*turning back*]. And mind and lock the back door at night.

MISTRESS. Yes, yes. Good-bye. I hope you have a nice rest.

POLLY. Rest! Wi' six o' us an' ma faither an' mither in a but an' ben! I'll be needin' a rest when I come back. Hooever, ta, ta, the noo.

MISTRESS. Good-bye!

Exit POLLY. *She leaves umbrella on chair back*
Poor Polly!

Motor horn sounds off
She's off, at last. Now, I must get busy.

POLLY *enters hurriedly, breathless*

POLLY. I forgot to tell you I left a dog in the bone for the pantry—you ken whit I mean—a bone—for the puppy—in the pantry.

MISTRESS. Yes, yes! Thanks, Polly. Hurry now!

Exit POLLY. *Motor horn sounds off*

She's really a kind soul thinking about the puppy, but I do wish she'd get away.

    Motor horn sounds loudly. POLLY *enters more breathless*

POLLY. I clean forgot about—the coal-hoose door.

MISTRESS. Polly! The taxi is *waiting*.

POLLY. But the key's—awfy stiff—to turn.

                            Horn sounds more loudly

MISTRESS. Such a fuss! Off you go!

        POLLY *exit. Horn sounds.* MISTRESS *listens at exit*

She's off this time. [*Returns to desk.*] You'd think I was an infant the way she goes on. [*Prepares writing materials.*] I think I'll write to Agnes before I do any dusting. She said she'd come on Saturday, that's the thirteenth.

                            Looks at calendar

    Knock, and CHARWOMAN *enters, passably tidy and face clean*

CHAR [*familiarly*]. Polly was sweert to go, right enough! I heard her and you argy-bargying as lang. Whit aboot's the time?

MISTRESS [*stiffly*]. There is a clock in the kitchen.

CHAR. Ay, but I doot it's done for. It fell aff the mantelpiece the noo.

MISTRESS. How very unfortunate! Polly *will* be annoyed!

CHAR. It's a peety aboot the clock, right enough, but I'm thankfu' the twa ornaments didna match. Ye'll no' miss *them* much.

MISTRESS. What! Are they—did you——

CHAR. Ay, in smithereens; but I aye say there's nae use cryin' ower spilt cheeny—it's best just to put it oot o' your sicht. Whit time did you say it was?

MISTRESS [*examining wristlet watch*]. It's ten o'clock, and please try to be more careful.

CHAR. Ten o'clock! An' us staun'in here gossipin'! Ma certy?

                            Exit CHAR *hurriedly*

MISTRESS. I'm afraid that's a bad beginning. I don't like the look of that woman, now I see her properly. I don't know what Polly will say. [*Writes* Dear Agnes, I shall be delighted to see you on Saturday, the thirteenth——

> *Knock, and* CHARWOMAN *enters, ushering in* OLD CLOTHES WOMAN *who wears a shawl and has a large bundle*

CHAR. Here's your auld claes wife. [*To* CLOTHES WOMAN] Sit doon, an' let yoursel' oot the front door when you're feenished wi' her for I'm sterted on the flues.

> CLOTHES WOMAN *waves an understanding hand after* CHARWOMAN, *and sits down with bundle on floor at her side*

MISTRESS. Good gracious!

CLOTHES WOMAN [*affably*]. Shure, I nivir heard no' word of Polly goin' off, not till the Chary towld me this blissid minute, an' Polly an' me wid a bargain on about a coat, an' aal.

MISTRESS [*crossing and indicating exit*]. The charwoman should not have shown you in here. Please go away.

CLOTHES WOMAN [*getting bundle ready but not rising*]. Shure, I'll do that, lady, an' not be botherin' ye; but maybes Polly lift wurd wid ye about the coat?

MISTRESS. She did not mention such a thing. Please go away.

CLOTHES WOMAN. It was an owld coat of your own, lady, an' not up to much ataal, but I gives good prices whin I knows the people.

MISTRESS. This is quite absurd.

CLOTHES WOMAN. That's pwhat me owld man says, but if ye don't give good prices, lady, people don't give ye none of their owld things, an' I've me owld man an' three married sons to kape, lady, an' me youngest girl goin' to her wurk wid not a fut in the stockings she's wearin', lady.

MISTRESS. Oh, dear! At least, Polly saved me from this.

CLOTHES WOMAN. She did that, lady, an' kapes your owld shoes for me. Luk at me feet, lady. They're clane on the earth.

MISTRESS. Please understand, I have nothing for you, and you must go away.

CLOTHES WOMAN. I wouldn't be after botherin' ye, lady, but me feet's been wringin' for months. Have a luk, now—aanything betwane size wans an' sevens fits me.

MISTRESS. I have nothing for you. Go away.

CLOTHES WOMAN [*rising and getting bundle ready*]. Kape the skirt (or dress) ye've on for me, lady. Luk at pwhat I'm wearin'. I'm not dacent, I'm not. Or aany owld semmits, or an owld pair of your man's trousers.

MISTRESS [*horrified*]. My good woman, hush! I'm not married!

CLOTHES WOMAN. An' aal the better of that, lady, pwhat wid the wurk scarce, an' the drinkin', an' aal.

MISTRESS [*taking coins from purse or desk*]. There! Take that, and go away at once.

CLOTHES WOMAN [*biting coins and depositing them in pocket underneath her several skirts*]. Thank ye kindly, lady. I'll give ye a caal again, an' if ye luk out some owld things for me—a jumper now——

MISTRESS [*pushing* CLOTHES WOMAN *towards exit*]. Go away!

CLOTHES WOMAN. Or an owld costume, lady——

MISTRESS. *Go away!*

CLOTHES WOMAN [*going off*]. Or owld stockin's, lady——

> MISTRESS *shoves* CLOTHES WOMAN *off, and returns to sit at desk, exasperated, and holding head*

MISTRESS. What an awful woman! If Polly knew! I'm certain I'm goin' to have one of my bad headaches.

Knock, and CHAR *enters, rather sooty*

CHAR. You got rid o' the auld claes wife no' bad. I heard her pesterin' the life oot o' you.

MISTRESS. You had no right to show her in here.

CHAR [*astonished*]. Eh? Whit would I ha'e dune wi' her in the kitchen, an' me fair harassed wi' wark?

MISTRESS. Please get back to your duties.

CHAR. Easier said than dune! There's an impident plumber come noo, wantin' to sort your bath, an' gaun on something awfy aboot Polly bein' awa'.

MISTRESS [*weakly*]. I don't understand.

CHAR. He'll be wantin' to click wi' her. He says you've got a pipe belangin' him.

MISTRESS. I don't know anything about it. Please see about it yourself. I have a headache.

CHAR. I've yin masel' wi' the fricht I got wi' that wee dug o' yours in the pantry.

MISTRESS [*startled*]. Oh! Polly always kept the pantry door shut.

CHAR. Like enough—she kent the dug. He's awa' wi' the meat.

MISTRESS. Oh, dear!

Clattering noise off

Whatever's that?

CHAR. I *telt* that plumber his wee iron pot was ower coggly on the fire! It'll be doon on your hearth tiles.

MISTRESS. Please go and see what he is after.

CHAR. I ken whit *he's* efter—it's Polly!

MISTRESS. I think he is most impertinent.

CHAR [*going off*]. Just whit I'm dune tellin' ye.

Exit CHARWOMAN

MISTRESS. Thank goodness, Polly doesn't hear her! I never met such an impossible creature. [*Holding head.*] What was I doing? I must get that letter written. [*Writes*] I shall be looking for you quite early, and hope nothing comes in your way. [*Knock.*] Oh, dear!

These constant interruptions are most annoying. Come in!

PLUMBER *enters, hands in pocket, cap on head, cigarette behind ear*

Yes? Were you wanting anything?

PLUMBER. I was wantin' Polly's address. She said she would leave it for me.

MISTRESS. Polly said nothing about it to me.

PLUMBER. Her memory's no' the best—when it suits her. I'm needin' to write her aboot a pipe I left. I canna dae wantin' it, an' that chary you've got up the kitchen lum doesna ken whaur Polly's laid it.

MISTRESS. But—but the charwoman is not up the chimney, surely?

CHAR *enters, without knocking, sootier*

CHAR. If he's sayin' things aboot me, I'll no' staun' it, so I'll no'.

PLUMBER [*pretending to look closely*]. Whit's wrang wi' your ear?

CHAR [*holding ear*]. Naething.

PLUMBER. It's swellin'. Ye've had it in a draught— at a keyhole, likely.

CHAR [*to* MISTRESS]. D'ye hear him? The impudence!

MISTRESS. I won't have this vulgar brawling. Go away to the kitchen—and, for any sake, put on a clean apron.

CHAR [*taking off apron, turning it, and tying it on again*]. I'll no' hae ma character ta'en awa' by ony lazy plumber, so I'll no'.

MISTRESS. Go away at once!

Exit CHARWOMAN *grumbling*

PLUMBER [*calling after* CHARWOMAN *at entrance*]. Leave the door open an' you'll hear a' that's gaun on. [*To* MISTRESS] One for her! Eh?

MISTRESS. You are very rude indeed. Go back to your work. I am very busy.

PLUMBER [*preparing to light cigarette*]. Ay, I see that,

35

but dinna tak' ill wi' onything I was sayin' to the chary. You should hear me an' Polly whiles! *She's* a sport! [*Wheedling.*] Come on, write me Polly's address noo you've got the pen and ink handy.

MISTRESS. Certainly not, Polly is only going to her own home for a little holiday, and I won't have her bothered.

PLUMBER [*whistling*]. Phew! *That's* the wey o' it, an' the wee besom telt me she would maybe land in the sooth o' France! If she's awa' up Sauchie wey I'll tak' a run up on ma motor-bike on Sunday. Thanks. [*Goes off and returns immediately.*] I'll need to disconnect your bath till I see Polly whaur she's put that pipe.

MISTRESS [*emphatically*]. I won't have my bath disconnected.

PLUMBER *is blowing cigarette smoke in the air negligently*
And I object to smoking in this room.

PLUMBER. Quite right—it's no' the thing for weemenfolk. [*He disappears again and returns.*] If I don't disconnect your bath the watter'll be through your kitchen ceilin'.

Exit PLUMBER

MISTRESS. This is intolerable. I can't have Agnes now. My poor head! Where is that letter? [*Tears up previous letter and begins another.*] Dear Agnes, I should have been so delighted to have you on Saturday, the thirteenth, but—but—what can I make?

Knock, and CHARWOMAN *enters with large frying pan*
CHAR. That's the fishman.

She examines the pan critically
MISTRESS [*astonished*]. Whatever are you doing with the frying pan?

CHAR. I was lookin' to see if it was cracket. The fishman brocht it back frae the gate the noo.

MISTRESS. What do you mean? The gate?

CHAR. That's whaur it landed when I let fly at the dug.

MISTRESS [*aghast*]. What? Is the dog out?

CHAR. Ay, and been this while.

MISTRESS. But he never gets out without me.

CHAR. By! he'll be enjoyin' himsel' the day!

MISTRESS [*angrily*]. You had no right to fling the pan at him, even if he did steal the meat.

                                FISHMAN's *bell clangs off*

CHAR. A'weel, the fishman's waitin'. Are you wantin' ony fish?

MISTRESS [*shortly*]. Oh, tell him nothing to-day.

CHAR. Richt ye are.

                                          Exit CHAR

MISTRESS. Everything seems to have gone wrong since Polly left. I wish I could get away from this muddle. I wonder if Agnes would put me up until Polly returns. I'll ask her. [*Writes, tearing up previous letter*] Dear Agnes, May I come to stay with you for a little? There is a dreadful person in the kitchen. [*Holding head.*] How my head throbs!

                      Knock, and CHARWOMAN *enters*

That dreadful woman again!

CHAR. Could you no' clean yoursel' an' answer the door! I'm kept runnin' to it constant. There's a wumman noo wantin' to sell you books. Will I bring her in?

MISTRESS. Good gracious, no! Send her away, and please hurry up and finish. I am going away.

CHAR [*patting* MISTRESS, *an attention which the latter tries to avoid*]. That's richt. Awa' an' lie doon for a wee an' I'll feenish up for you here till that plumber is oot o' my road in the kitchen.

MISTRESS. I suppose I might as well—and I should be searching for the dog.

CHAR [*soothingly*]. The dug's fine, and awa' up a tree efter a nice wee cat, quite happy. Awa' you go an' tak' a heidache pooder.

MISTRESS [*going off*]. Oh, *anything* to get out of this!

                                        Exit MISTRESS

CHAR [*looking after* MISTRESS]. Awfy easy upset, puir thing. [*Sitting at desk.*] My! I was never as gled o' a sate. Whit's she been writin' at a' mornin'? [*Picks up letter from desk and reads.*] Dear-Agnes-May-I-come-to-stay-with-you-for-a-little, there is-a-dreadful-person-in-the-kitchen. By! that's true, onywey—yon plumber would gi'e onybody a splittin' heid.

 Whistling off and CHARWOMAN *puts down letter*
 quickly and lolls back in chair. PLUMBER *enters*

PLUMBER. *This* is whaur you've landed? Quite gentry! [*Suddenly fierce as* CHAR *looks at him disdainfully.*] D'ye ken there's nae fire for my solder?

CHAR. You can put the fire on yoursel'. You've gi'en her a splittin' heidache wi' your cairry-on, an' she's awa' to lie doon. *And I'm left in chairge.*

PLUMBER [*disgusted*]. You? [*Going off.*] Awa' and wash your face.

            Exit PLUMBER

CHAR [*rubbing her face with her apron and making it no cleaner*]. I'll get even wi' that scoondrel yet. [*Looking in wastepaper basket.*] Shairly that's no' a' she's been writin', sittin' here a' forenoon. Here's yin. [*Pieces together torn sheets.*] I-shall-be-delighted-to-see-you-on-Saturday—ay, sittin' writin' as lovey-dovey as you please wi' a face like a sour lemon.

 BOOK LADY *appears at entrance and stands looking*
 around short-sightedly. CHARWOMAN *jumps and tries to*
 hide the fact that she has been rifling the wastepaper basket

Wha's this? By! I clean forgot aboot the Book Wumman. [*Crossing to* BOOK LADY.] She said she didna need ony books the day.

BOOK LADY [*advancing and sitting down, taking books from her case*]. Then perhaps *you* will welcome this opportunity of acquiring a very fine edition of the Poets? It is scarcely believable, but these volumes will be yours simply on payment of the first instalment of one shilling.

CHAR [*sitting at desk and speaking "Englishy"*]. Is that a fac'?

BOOK LADY. You simply sign the coupon on the dotted line and the books are yours—on payment of one shilling. [*Crossing to desk with coupon and fountain pen.*] Just sign your name here.

CHAR [*drawing back*]. But I hav'na a bob on me the noo.

BOOK LADY. That is of no consequence. Sign the coupon, and I shall call at your address to-morrow with the books and receive your first instalment.

CHAR [*scratching her head irritably*]. But I'll be oot a' day washin'.

BOOK LADY. The evening suits me equally well. What is your address?

CHAR. But I aye go to the pictures at night—and I hav'na read a' the serials in the *Weekly Friend* yet.

BOOK LADY [*returning to seat and producing books again*]. You cannot afford to miss this opportunity. No home is complete without mental food.

CHAR. Yin o' ma sister's weans was brocht up on Sister Susie's food, but it turned oot gey expensive.

BOOK LADY. One shilling gives you these magnificent volumes, gilt-edged, exquisitely bound, profusely illustrated. [*Pointing at* CHARWOMAN.] Opportunity is knocking at your door.

CHAR [*desperate, then struck with an idea*]. I tell you, you knock at the kitchen door and ask for the plumber. He was tellin' me he was awfy fond o' books—a fair glutton for them.

BOOK LADY [*packing up books*]. Oh, thank you. I shall certainly see him.

CHAR. And dinna let him put you aff, for he's gettin' married, an' he'll be needin' books for his sideboard.

BOOK LADY. Thanks—so good of you—thanks very much.

CHAR. He's kind o' bashfu', but you wire into him.

BOOK LADY. I certainly shall. Thanks!

Exit BOOK LADY. CHAR *is convulsed with repressed laughter*

CHAR [*wiping her eyes*]. Jings! he'll murder her! Serves him richt for his impudence. He'll no' get rid o' *her* in a hurry. "Sign on the dotted line an' the books they will be thine"—I'm a fair poet masel'! [*She dusts around and sings*] "Pack up your troubles in your old kit-bag and smile, smile, smile." [*Takes papers from wastepaper basket.*] Whit's this yin? This is her delighted again aboot Agnes comin'—weel, a' I can say is, she doesna look it. [*Sings again and dusts energetically.*]

PLUMBER *enters in a temper*

PLUMBER. Here! stop that row. Whit d'ye mean tellin' that wumman I'm wantin' to buy books?

CHAR. Weel, I'm shair there's naebody mair in need o' learnin'.

PLUMBER. You had nae richt to tell her ony such thing. I canna get rid o' her.

CHAR [*exulting*]. You've met your match at last! [*Sings lustily*] "Pack up your troubles in your old kit-bag and smile, smile, smile."

PLUMBER. For ony sake stop that noise and come and put her oot.

AGNES *appears and stands looking in*

CHAR. Me? The wumman never did me ony harm.

AGNES [*coming forward*]. Hallo! The front door was open, so I just came in. I beg your pardon, but I thought your mistress was here.

PLUMBER *tries to attract* CHARWOMAN'S *attention by whistling, jerking his thumb towards kitchen, and indicating that he wants her to come off to kitchen with him*

CHAR [*to* AGNES]. She's awa' lying doon for a wee rest. You see, Polly's left her.

AGNES. Polly? Oh, surely not?

CHAR. Ay, first thing this mornin'. I heard them argy-bargyin' a lot, so nae doot they had a row. I'm here noo takin' chairge, an' the plumber here [*staring at* PLUMBER], whit is it you're wantin'?

PLUMBER. I'm just wantin' to see you in the kitchen for a meenit.

CHAR. I'm in chairge here, an' I hav'na time.

PLUMBER *shakes his fist at* CHAR *behind* AGNES, *and makes emphatic signs for* CHAR *to accompany him off*

I canna think whit's wrang wi' the man.

BOOK LADY *appears and stands peering around.* PLUMBER *retreats across stage*

Oh, here's your Book Wumman. [*To* AGNES] It's a wumman sellin' books to the plumber.

PLUMBER. She's daein' naething o' the kind.

BOOK LADY [*following* PLUMBER, *who recrosses stage to avoid her*]. If he will sign the coupon on the dotted line——

CHAR. Tak' the wumman into the kitchen and sign up, the wey you promised.

PLUMBER *shakes fist at* CHARWOMAN

BOOK LADY. No home is complete without mental food.

CHAR. That's richt, gi'e it to him stiff.

PLUMBER [*standing at bay*]. Listen to me, the hale lot o' you—I'm awa' back to my wark, and I'm warnin' you if onybody bothers me aboot books I'll pour my solder doon their throat.

PLUMBER *turns purposefully to exit and collides with* MISTRESS

Crickey! I'm shair I beg your pardon!

MISTRESS *enters, rubbing her arm.* PLUMBER *rubs his arm*

MISTRESS. Gracious!

AGNES [*greeting her affectionately*]. My dear!

MISTRESS. Agnes! Where have you come from?

AGNES. I intended to give you a pleasant surprise, but I fear you have had an upset of some kind.

CHAR. It's the plumber! He promised this wumman to buy books off her, and noo he'll no' sign up. She should get the polis to him.

MISTRESS [*throwing up her arms, crossing to desk and sitting down despairingly*]. She's begun again! Oh, Agnes, what a day I have had with that awful woman!

AGNES *crosses and stands behind* MISTRESS' *chair. She pats her friend sympathetically*

First she was after the dog, then a dreadful person was after my old clothes, and then that impudent plumber was after Polly—and now there's someone after him! Oh!

AGNES. Hush, hush, my dear.

BOOK LADY. If he will sign the coupon on the dotted line——

PLUMBER. Here! let me back to my wark.

He strides to exit, and meets POLLY, *who pushes him back indignantly as she enters*

Michty! Here's Polly!

POLLY. Get oot my road, you clumsy elephant!

MISTRESS. Polly? Oh, thank goodness!

POLLY. Whit's wrang? I lost my train, an' I forgot my umbrelly. [*Looking round.*] *There* it's! I just cam' back.

MISTRESS. Thank goodness.

CHAR. Oh, Polly, we've had an awfy time! The wee dug's oot, an' this wumman wi' the books is gettin' the polis to the plumber.

PLUMBER [*desperately*]. It—it wasna me, Polly—as shair as deith!

MISTRESS [*jumping up and pointing dramatically to* CHARWOMAN]. It's nothing but that dreadful woman. Oh, Polly, send her away, and [*collapsing into chair again*] for any sake make me a cup of tea.

CHAR. Puir thing, she's nervish.

POLLY [*divesting herself of coat, and rolling up her sleeves*]. *You'll* be "nervish" if you don't get out of here.

POLLY *makes a movement towards* CHARWOMAN *that sends the latter off scared*

[*To* PLUMBER] Awa' you go to your wark [*taking*

42

BOOK LADY *by the arm and leading her across towards exit*] an' tak' this wumman wi' the dotted line alang wi' you.

PLUMBER [*going off jauntily*]. Nae fear! I'll tak' nae-body alang wi' me but yoursel', Polly.

Exit PLUMBER, *kissing his hand to* POLLY

BOOK LADY. Would *you* care to look at a beautiful edition of the Poets?

POLLY [*taking* BOOK LADY *to exit and putting her off*]. You go and look at the ootside o' the front door—and shut it behind ye.

Exit BOOK LADY

A bonny muddle! But I kent whit it would be. I wish I had my apron on me. [*To* MISTRESS] Wait till I get into my kitchen and I'll soon ha'e a cup o' tea ben for you and Miss Agnes.

AGNES. That's the first sensible remark I've heard since I entered this house, and after the cup of tea you are both coming home with me for a holiday.

MISTRESS. Oh, thank you, my dear. Won't that be lovely, Polly?

POLLY. Ay, it was lucky I missed the train an' forgot my umbrelly.

As POLLY *is going off the* CHARWOMAN *enters and snatches up* POLLY's *umbrella and tries to open it*

CHAR. Oh, come quick, Polly—the watter's poorin' through the kitchen ceilin'.

CHAR *exit*

POLLY. The plumber!

POLLY *rushes off.* MISTRESS *seizes* AGNES *and hauls her off*

MISTRESS. Wait on me, Polly. Agnes, come with me.

Exit MISTRESS *and* AGNES. *Dog barks off and* CHAR-WOMAN *enters with dog in her arms. She may have umbrella over her head with evidences of broken plaster*

CHAR [*beaming at audience*]. Is it no' a mercy her wee dug's back?

Curtain

AN AFTERNOON CALL

JEAN LANG

CHARACTERS

MRS HALLIDAY	An old Border Scot
MISS BROWN	A smart young clerkess from Edinburgh

SCENE: *Room in a cottage in a little Border village.* MRS
HALLIDAY *sitting by the fire reading a newspaper. Wears
cap, little shawl, large list slippers, long skirt, spectacles.*
MISS BROWN *has very short skirt, jaunty hat, silk stockings,
high-heeled shoes, jumper much open at the neck, string of
large imitation pearls. Carries walking-stick.*

*Loud knock at the door. No reply. A second, louder, no reply.
A third, very loud, still no reply.* MISS BROWN *opens door
and walks in.*

MISS B. [*with very Edinburgh mincing accent*]. How d'ye
do? [*No reply.*] How d'ye do? [*No reply.*] [*Then, very
loud.*] How d'ye do?

MRS H. [*starting violently*]. Eh! maircy! A thocht it
was a doag!

MISS B. You don't remaimber me?

MRS H. [*crossly*]. A do noat.

MISS B. Eh em Miss Brown.

MRS H. What?

MISS B. Eh em Miss Brown!

MRS H. Can ee no' speak oot? A cannae hear a
word ee say.

MISS B. My name is BROWN! B-R-O-W-N. B for
Benjamin, R for Robert, O for Oliver, W for——

MRS H. [*interrupting*]. Rax me by ma lugs.

MISS B. Eh! Eh don't know what you mean.

MRS H. [*impatiently*]. Ma lugs, a tell ee. Can ee no' unnerstaun'? Ma *lugs*.

MISS B. [*much confused*]. "Lugs"? Eh cain't understend you.

MRS H. Megsty me! Can ye no unnerstaun' yer ain tongue? Hoots! Juist gie's yon reid naipkin on the dresser.

MISS B. [*wildly*]. Eh don't know what you mean!

MRS H. The lassie's a pairfeck gomeral! [*Pointing.*] Yon reid hawnkercheef, *there*!

MISS B. [*jumping up and handing* MRS H. *red cotton handkerchief containing ear-trumpet*]. Oh! Eh didn't ketch on!

MRS H. [*ungraciously adjusting ear-trumpet*]. Saw ye ever siccan a lassie. Whae er ee? What div ee want?

MISS B. My Memmay said that when Eh was here on holiday Eh was to call end see you.

MRS H. A dinnae hear what ee say.

MISS B. My Memmay said Eh was to——

MRS H. *Whatt?*

MISS B. My Memmay——

MRS H. Ainemies! A may hae a guid few freens, but A never kent A had an ainemy!

MISS B. Eh didn't say enemy! Eh said my Memmay!

MRS H. Yer *whatt?*

MISS B. [*bawling*]. My mother!

MRS H. [*slightly mollified*]. Oh! 'eer mither. . . . Weel, what aboot her?

MISS B. Don't you remaimber Miss Mary Thomson? She used to live here before she was married. [*In a shriek.*] Mary Thomson.

MRS H. [*recoiling, offended*]. A may be a wee bit dull o' hearin', but A'm no' deef. 'Ee near spleet ma ear. 'Ee'll brek the trumpet if 'ee roar like that. [*Pauses, ruminating.*] 'Ee're no' Mary Thoamson. What div 'ee say aboot Mary Thoamson?

MISS B. She used to live here before she was merried. Eh am her daughter.

MRS H. Mary Thoamson? ... Aye, she was mairrit on a hind at Eeliston.

MISS B. [*furiously*]. She wasn't! My Peppay is in the Customs at Leith!

MRS H. Oh! so 'ee're Mary Thoamson's dochter. Aweel, A'd never ha' thocht it. Mary was a bonny lass. [*Pause, staring at* MISS B.] Ye maun ha' ta'en after e'er faither. A hard he had a reid heid an' an awfy kippit up nose. A was tell't he was gey shauchled like.

MISS B. [*bitterly*]. Your informant was mistaken. If you mean to be rude——

MRS H. Food? 'Ee're owre late for yer denner, an' owre airly for yer tea.

MISS B. [*furiously*]. Eh never maintioned food. Eh wouldn't taste a bite of——

MRS H. [*interrupting*]. Loke sakes! What ails 'ee? 'Ee're spittin in ma face. [*Wipes it.*] So 'ee're bidin' here?

MISS B. [*stiffly*]. Yais.

MRS H. Whaur div 'ee bide.

MISS B. Eh em at Miss Smith's.

MRS H. Mess Smeth's! A never kent she had a sairvent. A thocht that Maggie Duncan juist gaed in on the Mondays an' gied her a haun' wi' the washin'. Div 'ee get yer meat a' richt? 'Ee're awfy peakit an' puir-like.

MISS B. [*stiffly*]. Eh em not her sairvent! Eh em lodging with her.

MRS H. Then whaur er 'ee? Whaur's yer place.

MISS B. Eh em in the Civil Service.

MRS H. Aye. That's the first wice-like thing 'ee've said. If 'ee're in sairvice, 'ee hae tae be ceevil. They're an impident set, the lassies noo-a-days. A wunner at yer mistress lattin' 'ee oot in thae claes. Mine's wad ha' pitten iz tae the door if A had dinkit masel' up in a shift and *beeds*!

46

MISS B. [*very stiffly*]. Eh em in the Post Office.

MRS H. The Post Oaffice! Then why did 'ee say 'ee were at Mess Smeth's?

MISS B. [*bawling*]. Eh em a clerkess in a Post Office in Aidenburgh!

MRS H. Then what are 'ee dae'n here?

MISS B. [*disdaining to reply*]. My Memmay said that when Eh was on holiday, Eh was to call and tell you that Eh em going to be merried.

MRS H. [*much amused*]. Mairrit! you mairrit! There'll be a chance for us a' yet. Weel, there's naething as queer as folk! Whae hae '*ee* gotten?

MISS B. My fiancey [*pronounced as written*] is on the Stock Exchange.

MRS H. *Yer* fauncy. A'm thinkin' it's mair like that 'ee'r *his* fauncy. [*Sigh.*] 'Ee never can tell what a man'll set his fauncy on.

MISS B. Eh didn't say fancy. Eh said fiancey. [*Proudly.*] Mey young gentleman is a clerk on the Stock Exchange.

MRS H. The stockin' trade? Then he'll be in Hyick?

MISS B. STOCK EXCHANGE!

MRS H. A hard 'ee. Is he in Hyick?

MISS B. NO!

MRS H. Salkirk, then?

MISS B. NO!

MRS H. Gawlashiels, then? [*Complacently.*] A dinnae haud wi' thae masheen-made stockin's. They're aye trampit into holes in twae days. A'se warrant a peer o' ma knittin'll last oot three peer o' thae masheen yins.

MISS B. HE IS ON THE STOCK EXCHANGE!

MRS H. A hard 'ee. A tell 'ee A'm no' deef.

Pause

MISS B. [*coyly*]. We are going to be merried next month.

47

MRS H. Oh-ho! A'm thinkin' Mary Thoamson was jalousin' A'd hae tae gie 'ee a praisent. She was aye an unco fly yin, was Mary.

MISS B. [*in a passionate aside*]. Nesty old rude woman!

MRS H. [*unfortunately overhearing*]. A'm a nesty auld rude wumman, am A? 'Ee're an impident hizzy—that's what '*ee* er.

MISS B. [*trembling, but dignified*]. Eh think Eh'd better wish you good efternoon.

MRS H. If 'eeve naethin' better tae dae than tae come here an' waste ma time haverin' aboot the wather, 'ee'd better gang hame till yer mither.

    MISS BROWN *shrugs her shoulders contemptuously, gives an icy bow and haughtily exits*

MRS H. [*left to herself, meditatively*]. A'm sure A dinnae ken what the warld's comin' tae. . . . An impident tawpie comin' sornin' on iz for a praisent. . . . An' me that ceevil till her. A think she's wantin' a sclate or twae. . . . Awell, 'ee couldnae expect onything frae a bairn o' Mary Thoamson's. [*Pause, smiles to herself.*] She didnae get onything oot o' *me*, onywey! Na! na!

JEANNIE'S FIRST VISIT TO THE THEATRE

Irvine Greig

ORIGINAL CHARACTER SKETCH

A country girl is taken by her young man to a theatre in town on Saturday night. The following scene takes place before the curtain rises, Johnnie being her imaginary companion. The only scenery required is a form or bench, to represent gallery seats. As she steps on to the platform, or stage, she hands an imaginary ticket to an imaginary official, with an engaging smile. Her manner is animated all through, the words being accompanied by suitable actions. She is dressed in big coat and hat.

Faur? Recht doun i' the front? Aye, there's room for twa. Come on, Johnnie. [*Sidles along, then stumbles down step.*] Losh, I wis nearly doun. Min' the steppie. [*Reaches form, and edges past people already seated.*] Beg pardon, but could I get past ye, please? Thanks. Oh! I'm awfu' sorry, did I tramp on yer tae? There's nae muckle room for big feet I'm thinkin'. [*Reaches seat and bumps against next young man, whom she at first eyes suspiciously, and then ogles bashfully from time to time.*] Sit doun, Johnnie. My, this is gran'. But sic a hecht up! It's nae winner we're pechin'. It's an awfu' like size o' a place . . . far bigger nor oor kirk at hame. Look at a' the lichties, a' in a clumpy like. That's recht bonnie. But fu' div they win up tae licht them? [*In answer.*] Oh! aye, I see. [*Pause, then indignantly.*] Fat are ye lachin' at? I didna' think they spielt up a pole tae licht them, ye silly. I'm nae sic a feel.

Fat's a' them wee like roomies at ilka side, wi' gran' curtains? [*In answer.*] Boxes? That's a queer like thing tae ca' them. An' a' the rows an' rows o' fowk down there? Is that a' gentry fowk? [*In answer.*] Stalls? Boxes an' stalls? Losh preserve's! Ye wud think a' the fowk wis shelties! [*In answer.*] I dinna ken fat ye're sayin' . . . a pit? Na, na, ye're pullin' my leg, Johnnie, that's nae nice o' ye. [*In answer.*] Aneth us? But fat kin' o' a pit? A black ane? Mercy, fat if we a' fa' in. Ye div hear o' sic things. [*In answer.*] Aye, I'd like a sweetie. Choclats! My sic a nicht we're ha'in', Johnnie. [*Grabbing the bag.*] Na, na, gie me the baggie, I'll pit it in my pooch. [*In answer.*] Aye, we'd need a programme. I dinna see a loonie. There's ane ower there, but he winna look. [*She stands up, waves hand, cranes neck to attract attention, and when successful holds up one finger, and carefully watches the approach of programme along the row. Her neighbour hands it to her. She beams on him.*] Thank ye, I beg pardon? Twopence to pay? Div' ye hear that, Johnnie? Come on wi' tippence. [*She again watches money, till it reaches the seller, then with a sigh of relief*] He's got it, Johnnie. I wis fear't somebody micht pinch it on the wey. Noo, lat's see fa's gaun tae perform. [*Here two well-known local shops must be mentioned.*] Isaac Benzie. [*Any name.*] Is he gaun tae sing? That's fine. I've aye wintit tae see Isaac Benzie. And here's Sutherland, Hairdresser, Permanent wavin' [*surprised.*] Sae it's a kind o' variety entertainment like. [*In answer.*] Advertisements? I thocht it wis the programme. Faur's it then? This wee squeerie i' the middle? Mercy, that's naethin' but a listie o' names, printit that sma' I canna mak' oot a word o't. An' ye gied tippence for that? It's jist chuckin' siller awa', Johnnie.

[*In excitement.*] Eh, michty, the show's begun, Johnnie. [*Pointing to orchestra.*] Look at a' the mennies poppin' oot o' the fleer doun there. Are they a' keepit i' the pit? Sic a shame! [*In answer.*] Fa div ye say? Orche . . . orches . . . or-ches-tra? Na, na, I dinna ken fat that is, but onywey it's naa that. It's a band, they've a' got their fiddles an' thingies wi' them. Ye can see't fine. [*Following progress with finger.*] Look at that wee fat craterie gaun tae play the drum. [*Laughing.*] He's mair like a drummie himsel'. [*Pointing to opposite end of orchestra.*] Div ye see that mannie wi' the silver trumpet like thing? Na, ye're nae lookin' recht. Doun there, next the mannie wi' the bald heid. Weel I ken fine fat that is. It's a . . . lat me think noo . . . it's nae a . . . grammyphone . . . an' it's nae a . . . tellyphone . . . I'll nivver forget . . . but I jist canna' min' i' the noo. [*Her neighbour tells her.*] Oh, aye, of course [*beaming on him*], my, it's recht kin' o' ye tae tell me. [*To* JOHNNIE] It's a saxxyphone, Johnnie, I kent fine fat it wis. We'd a Rural Concert doun i' the ha' the ither nicht, an' a mannie fae Peterhead play'd on't. It wis rael bonnie. I'm recht gled there's tae be a band. Ye kin' o' get the guid o' yer money like. [*In answer.*] Glesses? Na, I dinna need glesses, I can see fine. [*Realising that he is looking through opera glasses.*] Oh, it's a speecial kin'. Gie's a haud o' them. [*Looks through, delighted and surprised.*] Eh, michty, a' the folk's recht big an' near like. I cud near cloot that wifie's lug. [*Turns to* JOHNNIE, *giggling.*] Eh, but yer ugly, Johnnie. Yer nose is jist like a neap for a' the warld. [*In answer.*] Turn't the ither wey? Losh, fut on earth's happened? A'thing's miles awa'. There's naethin' tae be seen o' my drummer mannie but a bittie white shirt front. It's a gran' thing this. Faur did ye get it? [*In answer.*] Saxpence! an' only the lane o't for the nicht? My, Johnnie, ye wudna' need tae come tae the theatre ilka wick. I'll nivver lat on tae my faither aboot it.

Weel, I nivver! There's Bella MacLaughlin, sittin' ower there. Look, ower there, twa doun fae the lassie wi' the reed floor in her bonnet. I wish she'd see me. [*Waves her programme, and evidently annoys her neighbour.*] Oh, excuse me, please, I'm aye bumpin' ye, I'm sorry.

[*To* JOHNNIE] Ye min' on Bella? Ye kent 'er fan she wis a wee lassie. She maybe winna ken me noo. Her heid's a bit swall't sin' she's come intae the toon. Aye, she's in a china shoppie nae far fae the station. [*She has succeeded in catching Bella's eye. Then follow vigorous nods and smiles and gestures of comprehension, and indicating of Johnnie with thumb jerks, etc.*] Fa wud that be she's got wi' her? He's a guid-lookin' chiel. She's aye a different lad ilka time I see her. [*In answer, and smiling assuringly.*] Na, na, Johnnie, there's nae fear, I'm nae that kin'. Ye're a recht guid sort, Johnnie, an' it's nae yer wyte that ye're nae bonnie. [*Turns round to someone directly behind.*] Beg pardon, fat div ye say? [*In answer.*] Tak' aff my hat? Na, fegs. Fat ivver wud I dae that for? [*To* JOHNNIE] She says I've tae tak' aff my hat. That wud be a senseless like thing tae dae, seein' that I pit on my best ane on purpose. [*In answer.*] I hae tae dae't? Fu didna' ye tell me afore? [*In answer.*] Pit it aneath the seat for this chap here tae dicht his dubbie sheen on? Nivver, Johnnie. I'll jist hae tae haud it i' my han' a' the time, an' it'll jist spile my pleesure. I wish noo I'd pit on my tammie-shanter. [*Lights go down.*] Mercy, fat's adee? There's somethin' gane wrang wi' the lichts. Haud my han', Johnnie. It's black dark. [*Curtain rises.*] Oh, my! Oh, my! What bonnie, what awfu' bonnie!

Curtain

JENNY'S BAWBEE

ALEXANDER BOSWELL

I met four chaps yon birks amang,
Wi' hingin' lugs and faces lang;
I speir'd at neighbour Bauldy Strang,
    Wha's they I see?
Quo' he, "Ilk cream-faced, pawky chiel'
Thought himsel' cunnin' as the deil,
And here they cam' awa' to steal
    Jenny's bawbee."

The first, a Captain, till his trade,
Wi' skull ill-lined, and back weel clad,
March'd round the barn, and by the shed,
    And papped on his knee:
Quo' he, "My goddess, nymph, and queen,
Your beauty's dazzled baith my een!"
But deil a beauty he had seen
    But Jenny's bawbee.

A Lawyer neist, wi' bleth'rin gab,
Wha speeches wove like ony wab;
In ilk ane's corn aye took a dab,
    And a' for a fee;
Accounts he had through a' the toon,
But tradesmen's tongues nae mair could droon
Haith now he thought to clout his gown
    Wi' Jenny's bawbee.

A Norland Laird neist trotted up,
Wi' bawsen'd naig and siller whup;
Cried, "There's my beast, lad, haud the grup,
    Or tie it till a tree.

53

What's gowd to me? I've walth o' lan',
Bestow on ane o' worth your han'."
He thought to pay what he was awn
  Wi' Jenny's bawbee.

A' spruce frae ban'-boxes and tubs,
A Thing came neist (but life has rubs);
Foul were the roads, and fu' the dubs,
  Ah! wae's me!
A' clatty, squintin' through a glass,
He girned, "I' faith, a bonnie lass!"
He thought to win, wi' front o' brass,
  Jenny's bawbee.

She bade the Laird gang comb his wig,
The Sodger no' to strut sae big,
The Lawyer no' to be a prig;
  The Fool cry'd, "Te-hee!
I kent that I could never fail!"
She pinn'd the dishclout till his tail,
And cool'd him wi' a water pail,
  And kept her bawbee.

Then Johnnie came, a lad o' sense,
Although he had na mony pence,
And took young Jenny to the spence,
  Wi' her to crack a wee.
Now Johnnie was a clever chiel',
And here his suit he press'd sae weel
That Jenny's heart grew saft as jeel,
  And she birl'd her bawbee.

PREPARING FOR GRANNY'S VISITORS

N. M. CAMPBELL

CHARACTERS

Mrs M'Tavish   An old woman of Victorian type
Maisie M'Tavish Her granddaughter, a modern girl

SCENE: *The sitting-room in* GRANNY'S *cottage, with table in centre, with large family album, chairs, etc., Door L., Door R.*
Curtain rises on GRANNY *knitting by the fireside.*

GRANNY [*looking up*]. Hauf fower o'clock and Mrs Broon and Mrs Robinson'll be here to their tea at fower, it's time that widdifu' o' a lassie was come. She promised to gie me a haun' to mak ready for my veesitors.
    [*Knock at door L., someone is heard whistling a rag tune* Awa' ye go, fa ever ye be, I haena ony ceegeret cairds and I'm nae seekin' a ticket for a fitba'.
         Enter MAISIE *dressed in kilt, sports coats and tam*
MAISIE. But you want a dainty, dinky, ducky little assistant, don't you, old dear?
GRANNY. Oh! it's you? Is't? Dress'd like a rig-widdie loon and fusslin'. I dinna unnerstan' hoo you lassies stop at wearin' whiskers and smokin' a clay pipe. And that Eton crap. 'Deed, it's weel named, yer heid looks as gin it had been *eton* wi' a puckle hungry rottens.
MAISIE. But Granny, did you not study fashion at my age?
GRANNY. When I was your age I had my haun's fu' tryin' to mak en's meet.
MAISIE [*sitting*]. Well, I have my hands full trying to make ends meet every time I sit down. [*She adjusts*

her kilt.] Just think how we economise on dress stuff nowadays.

GRANNY [*contemptuously*]. Stuff! Frocks got short when lasses grew ower sweirt to patch. Weel, are ye gaun tae set the tea?

MAISIE. With pleasure. Had you any nice afternoon teas when you were young?

GRANNY. Na, na, jist substantial plain fare. That was the day o' cheap livin'.

MAISIE. Cheap enough no doubt but I would not call it living.

GRANNY. Eh, lassie, if only I could get ane o' thae days back again! But I'll gang ben and pit on my apron and ye can set the tea.

Exit GRANNY, *R., shaking her head dolefully*

MAISIE. Oh, dear! I get fed to the teeth hearing Granny croak about the good old days. She is a dear old soul, but she cannot see over the top of her rut. I think the time is ripe for giving her a little eye opener. The idea came to me while looking over the family album and my weapons for the grand attack are all ready, but I must hurry.

Exit MAISIE, *L., enter* GRANNY, *R.*

GRANNY. Noo, awhen yer cuttin' the breid and butter dinna mak them the breidth and thickness o' postage stamps as ye did last time. Oh, she's nae here. Weel, weel [*she sits down*], Maisie's a fine lassie as lassies gang noo, but I have to keep her in her neuk. I niver ken fat she may say or dae neist. Eh me! I winna forget the time she tell'd me that the rizzon the flood laisted saw lang was 'cause Mrs Noah wadna stop greetin' aboot the guid auld days.

Enter MAISIE, *dressed in exaggerated Victorian style, with stringed mutch, frilled fichu, and trailing skirt with bustle*

GRANNY [*raising her hands in amazement*]. Preserve a' livin'. Is't a tattie bogle ye're trying to mak yersel'?

MAISIE. Oh, Granny, and I thought myself a beautiful

vision of old-time memories! These charming modes are all copied from the family album. Aren't they sweet? Isn't the headpiece an improvement on the Eton crop? Behold proud Maisie [*she strikes an attitude*] no longer careless and happy but hairless and cappy.

GRANNY. Tut! Tut! G'wa and tak aff thae duds afore the veesitors come.

MAISIE. But, Granny, I've dressed especially for them. Mrs Brown and Mrs Robinson are your oldest friends, and this is going to be a real Victorian tea-party. Why, you will have the time of your life.

GRANNY [*grudgingly*]. Weel, weel, your wey be't, but it's a gie like ploy.

MAISIE. Now, old dear, it's your turn to get dressed. [*She produces a gaudy table cover and a cap covered with coloured ribbons and artificial flowers.*] Let me dress you in this. I could not get a Paisley shawl, but this will look quite nice.

GRANNY [*indignantly*]. Dress mysel' in that mooldy table cover and that haythenish-luikin' kep that nae beggar wife would pick aff a rubbish heap. Bairn, yer surely nae richt in yer heid.

MAISIE. But, Granny, that would make you look exactly as your Granny did on her wedding day. I know she thought herself no end of a swell.

GRANNY. Hoo she luiket and hoo she thocht is nae bizness o' mine, or yours eyther.

MAISIE. Hm-m! Do you really think so? Well, I'll just put them down. [*Lays them on chair.*] Perhaps Mrs Brown or Mrs Robinson will fancy them. Now for tea.

She puts a cloth on the table, four large basins, table spoons and forks

GRANNY. It's a gie queer tea yer settin' doon. What are the bowls and the forks for? And ye dinna steer tea wi' broth spunes.

MAISIE. Well, Granny, you often tell me how fond you are of tasty substantial meals, so I thought we could not do better than have brose and red herring for tea.

GRANNY. Brose and reid herrin'. Mrs Broon that keeps a table jist grainin' wi' fancy pieces—Mrs Robinson that's sae genteel and has a guid-son a meenister—invitet to their tea and syne offered brose and reid herrin'. Lassie, I'd niver be able to show my face to them again.

MAISIE. Perhaps they are like you and prefer such fare. But I must get the chairs into fettle. [*She produces white tissue paper and blue paper cut in strips and proceeds to drape the chairs in nineteenth-century fashion.*] I could not get real crochet antimacassars or tidies, but this will look quite as well and be more hygienic.

GRANNY [*angrily*]. Noo, jist hearken to me, Maisie. Ye'll stop a' thae cantrips, redd up the hoose and yersel', and pit doon a daicent tea to my veesitors. I winna hae them nor mysel' insulted by a hoose like a caravan and a diet that wad gar even a plooman eat girse efter.

MAISIE. But, Granny, I thought it would be such a treat for you to re-live one hour of the good old times.

GRANNY. Maisie, gin ye say auld times to me again I'll—I'll gie ye a het lug, and—weel it'll be a lang time afore I say ony mair aboot them to you. Awa' wi' thae gee-gaws.

> MAISIE *tears paper off one chair, catches her bustle on another and lands on the floor. She bursts out laughing.* GRANNY *runs to help her up, trips on* MAISIE's *long skirt and also lands in a sitting position on the floor. She covers her face with her hands*

MAISIE [*with concern*]. Oh, Granny dear, you are not hurt, are you?

GRANNY. Ay, I'm hurt. It's a sair job on an auld crater like me to get her leg pu'd till she hasna a fit to stan' on.

MAISIE. Oh, Granny, you dear old sport, we've come at last to the psychological moment and we must rise to the occasion. *She rises and helps* GRANNY *to rise*

GRANNY. I think I've got jist as muckle as I can stan' so I'll try sittin'. *She sits down on chair*

MAISIE. And I'll do the penitential kneel.

She tries to kneel but trips once more on her skirt

GRANNY. Ca' canny noo. They say it's better to be oot o' the queets (ankles) than oot o' the fashion, but there's nae sense in being oot o' the queets and oot o' fashion tae.

MAISIE. Now, Granny, do tell me how Victorian ladies——

GRANNY. Noo, noo, let that flea stick to the wa'.

MAISIE. But I really want to know how they walked so circumspectly without legs?

GRANNY. Hoots, they hadna legs in my young days, onywey they nivver let on aboot them.

MAISIE. And yet you poor old dears are absolutely obsessed about the good old days.

GRANNY. Noo, lassie, jist harken to me. Gin ye stop auld folk frae grainin' and sighin' ower days o' lang syne ye're takin' awa' ane o' the pleesures o' life and nae the sma'est ane. Gin Mrs Noah swell'd the flood by hingin' ower the edge o' the Ark and greetin' aboot the guid auld days it was jist her wey o' enjoyin' hersel'. Ye'll come to that yersel' yet, bairn.

MAISIE. How thrilling. That will be when my granddaughter comes along in her two-seater monoplane, whisks me up with her electric gun and dashes through cloudland at a thousand miles an hour—right to Fiji or Honolulu for our afternoon tea, which shall consist of two tablets in a pill box. Thrilling indeed!

GRANNY. Lassie, I canna keep up wi' yer blethers. I can only houp that your grand-dochter'll be nane waur than mine.

MAISIE. Ever so many thanks, old dear. I fear I failed to see your point of view regarding old and new fashions.

GRANNY. Weel, it's jist like this. We auld folk are

59

sae sure that in oor young days "the sun shone brichter far than it's ever daen sin' syne" as the sang rins. Maybe we're ower ready to keep on blinkers when it's sheenin' noo and bemane the glaur and the mist. As for the fashions, I think in the time to come, Maisie, you and me micht dae mair pittin' up and less pittin' doon.

MAISIE. Cheers! My sentiments to a tee.

She makes a flag of the fichu and waves. It tears right across

GRANNY. But bless me! We're forgettin' oor wark. It's five meenits to fower. Awa' ye go and pit aff thae awfu' luikin' duds, there's jist time to pit doon the tae richt.

MAISIE. Well, will it be brose and red herring?

GRANNY [*shaking her finger*]. Noo, noo, dinna begin. I've nae doot ye've been takin' a glint into my press and seen the oven scones.

MAISIE. And the lovely cream cookies, and the crisp shortbread and the Madeira cake and the meringues. Yes, I saw them all. So adieu for two ticks. The transformation scene will not hinder longer than that.

Exit MAISIE, *L., with cap and table cover over shoulder, humming one of the latest jazz tunes, holding her trailing skirts high and dancing a one step*

GRANNY [*looking after her and shaking her head*]. Aye, aye, happy and careless as a young crater should be in the springtime o' life. Nae doot a' the new fangled weys are richt and richt eneuch, but I doot I'm ower auld a cat to draw a strae afore. Onywey, this trock maun gae oot o' sicht. [*She carries away bowls, etc., from table via door R. Returns and gives a look round.*] And I'll better pit this mooldy photygraff album oot o' sicht for a while. I've ta'en a scunner to it.

Exit GRANNY *with family album*

Curtain

AUNT KIRSTY VISITS AIRCHIE

IRVINE GREIG

CHARACTERS

MISS KIRSTY MACPURDIE (*Amusing if played by a man*)
Middle-aged aunt, visits successful nephew in
Edinburgh. Old-fashioned clothes, bonnet, etc.
Carries carpet bag and brown paper parcels

ARCHIE	Her nephew, hearty, kindly man
CYNTHIA	His wife, young and attractive. In smart day dress
HER FRIEND	A spiritualist, full of pose, would-be psychic. In evening dress
BUTLER (or MAID)	Smart, well-trained

SCENE: *A drawing-room in which one part is screened off so
as to be visible to audience but not to occupants of room.
Entrance from both sides of stage. Telephone. When
curtain rises* MISS MACPURDIE *is being ushered in, carrying
bag, umbrella and parcels.*

AUNT. Aye, aye, that's recht. I'm Miss Kirsty
MacPurdie frae Cairnbulg near the Broch.

BUTLER. The master must have missed Madam at the
station.

AUNT. Meaning me, like? Look here, mister, if yer
nae ower gran' ye micht rin oot an' see if yon cab
mannie's awa'.

BUTLER. Certainly, Madam.

AUNT. Ye see, I gaed 'im a hale shillin' but he lookit
in an awfu' rage aboot somethin', but I didna' ken fat
he wis bletherin' aboot . . . he'd sic a queer-like accent
. . . so I jist cam' awa'.

BUTLER. I shall attend to the matter, Madam.

Takes up bag

AUNT [*peremptorily*]. Pit that doon, my man. I dinna like strange fowk fiddlin' wi' my things.

BUTLER. Very good, Madam. I shall let the mistress know Madam has arrived. *Exit*

AUNT [*recalling him*]. Hie! If the cabbie wis wintin' tae gae me the cheenge o' the shillin' ye can tell 'im it's a' recht, he can keep it . . . tho' he nivver helpit me wi' my parcels.

As she is looking around her, CYNTHIA *and* FRIEND *enter by other door and seat themselves behind screen.* AUNT *listens and causes amusement by acting throughout conversation as if she were the vision conjured up*

CYNTHIA [*animatedly*]. How very extraordinary, darling, you say you actually felt her presence in the room.

FRIEND [*rapt expression*]. Absolutely . . . the atmosphere breathed it . . . she was with us in the spirit. I knew it. We all knew it.

CYNTHIA. Oh, how I wish I'd been there!

FRIEND. We sat in solemn silence . . . then a vision of her arose before my eyes . . . the dear familiar figure . . . the quaint old-world dress . . . the dignified yet graceful gestures . . . the serene smile.

AUNT [*to audience*]. That's me a' ower. Foo can the wumman ken fat I'm like fan she's nivver seen me.

CYNTHIA. How wonderful, darling. Do go on. What happened next?

FRIEND. Then the medium began to speak in low, mystic voice, and said, "You are re-visiting this sphere to tell us of the plane in which you now move. . . .

AUNT [*to audience*]. A plane! Me in a plane! Eh! I jist hate them airyplanes, jist like craws skirlin' ower yer heids.

FRIEND. If you have come to give us news . . ."

AUNT, *who has got impatient, interrupts in loud voice*

AUNT. Aye, weel, if I'm tae gie ye my news, ye'd better come oot o' yer hidey hole.

Both jump up and cry and come towards her

CYNTHIA [*surprised*]. Aunt Kirsty!

FRIEND [*ecstatically*]. Oh! wonderful vision! Just such a one as appeared to me. May I touch you.

AUNT. Oh, aye! but I think mysel' ye've got a want. I'm nae a veesion, I'm here i' the body, an' I wud hae ye ken that I hinna had a drap o' speerit syn Geordie Tosh's burial.

CYNTHIA. But how is it that you are alone, Auntie? Archie went off in good time to meet you.

AUNT. Maybe, but I hinna seen 'im. I speirt at a wifie in the carriage wi' me fan we cam' tae a' the big hooses if this wis Edinburgh an' she said it wis, sae I githered my things an' steppit oot.

CYNTHIA. Oh! you must have got out at Haymarket.

AUNT. There wis nae sign o' a market . . . it's nae Friday . . . an' there wis nae hay as I cud see. But the cabbie seemed tae ken yer street, sae here I am. [*Telephone rings*, CYNTHIA *runs to it*.] Fat's that?

CYNTHIA. Hulloa! Speaking. Yes, yes, she's here all right. What? No; Haymarket as far as I can make out. Quite all right. [*To* AUNT] Archie wants to speak to you, Auntie, he's here.

AUNT. Faur? In there? Eh, sakes na. I'd raither speak til' 'm i' the body. It wud jist be his speerit in there. [*She is at length prevailed upon to hold the receiver, and is relieved at sound of Archie's voice.*] Aye, laddie, it's me a' recht, but I canna hae converse wi' speerits, sae come awa' hame at once, an' bring yer body wi' ye. [*To* CYNTHIA] Fat div I dae wi' this thingie? Oh! aye, thanks. I'm jist fair sweatin'.

FRIEND. I really must go, darling, I just ran in because I knew you would be so interested in our wonderful séance.

AUNT. If ye're meanin' me wi' yer "say-ons," I'd hae ye know that I dinna hold wi' speerits an' veesions an' say-ons an' things. I'm jist plain Kirsty MacPurdie frae the parish o' Cairnbulg near the Broch, and I object, consciensciously object tae these alligators made against me. Now then!

FRIEND. Pray forgive me, dear Miss MacPurdie, I did not mean to offend you.

AUNT. That's a' recht then, we'll say nae mair aboot it. Maybe ye wudna' min' tellin' me if ye mean tae gang oot intil the street a veesion like that [*indicating evening dress*].

FRIEND. I am afraid I do not understand.

AUNT. Wi' yer neck and shouders an' a' thing bare. I dinna think it's nice.

CYNTHIA. Oh, Auntie dear, Kitty is on her way to dine with a friend, and besides, we always dress for dinner in town.

AUNT. Dress! Aye, weel, that's jist fat I wis tellin' 'er. Ging and hap yer body a bit, lassie, ye'll get yer death o' cauld.

FRIEND. How delightfully quaint you are, dear Miss MacPurdie. I do hope we shall meet again. Good-bye. Don't bother to come out with me, Cynthia darling. Good-bye.

AUNT. Sic a queer crater! Are a' yer frien's like that?

CYNTHIA. Oh, no, Auntie! She's very clever. She's a leading light in the spiritualist world.

AUNT. Faur's that? It's nae doon oor wye.

Enter ARCHIE

ARCHIE. At last, Auntie. [*Kissing her.*] What a nasty quarter of an hour I had till I rang up and heard you had arrived safely. And looking splendid.

AUNT. I'm fine. There's nivver onything the matter wi' me.

ARCHIE. And bringing the smell o' the heather, and the lovely peat reek, and the fishing boaties.

AUNT. Bless the laddie, he's gaen gyte. But I'm recht gled tae see ye, Airchie, my dearie, an' I've a' kin's o' messages frae Leezie and Wullie . . . an' the coo calved the nicht afore last . . . an' div ye min' . . .

CYNTHIA. I think Auntie had better come up and get her things off. She must be tired and hungry. We won't change to-night, Auntie, as dinner . . .

AUNT. Cheenge? Fat wud I dae cheengin' i' the noo? I pit on a' thing clean afore I cam' awa', sae I winna need tae cheenge for the twa weeks I'm tae be here.

ARCHIE [*laughing*]. Good old Auntie. Come along, give me your bag. And what's this?

AUNT. That's a hennie in a preesent. Ye'll need tae bile't a lang time, she micht be some teuch. . . .

Curtain

TIBBIE'S BUSY DAY

E. TURNER

CHARACTERS

TIBBIE M'FASH	Spinster of uncertain age
MRS M'ANDREW	Joiner's wife
JESSIE TODD	Blacksmith's daughter
ROB	The baker
MRS PERRY	Groom's wife

SCENE I: *Typical village shop, counter in centre, window at right,* TIBBIE *found sweeping up.*

TIBBIE. Dear me! Dear me! Friday morning again! An' it ma busy day! It's na only the shop but a'thing i' the kitchen end needs reddin' up forby. I'll hae tae see that naebody pits aff ma time this day wi' their bits o' clish-clash that I tak' nae interest in. [*Crosses and looks out window.*] Noo, wha can that body be gaun doon by the schule gate? [*Stretches neck again and peers through window.*] She's gey smert on her feet an' seems tae be gaun in tae the schule. Wha'ever can she be. Jeannie Gray made nae mention o' onybody new comin' when she ca'd in on her wey back frae lichtin' the schule fires this mornin'. [*Shop bell rings.*] What was that? Oh! it's you, Johnnie Johnson, an' a "Keelie-vine"* ye're wantin'! Fine edication ye're gettin'! Can ye no' say a leed pencil, an' please? But here ye are! But, Johnnie lad, wha was the leddy gaed doon the road afore ye? Dev ye say sae? A nurse! Tae see if yer ears are clean an' yer neck wishen? Guid keep us a' an' that's what we're peyin' for noo, is't? An' me thinkin' she wis a leddy. Aff ye gae then, Johnnie, or

* Still in use in the Borders.

ye'll be late an' gettin' yer licks. [*Resumes sweeping after having another look through window.*] Aye! Aye! Johnnie improves. He kens better noo than come ower ma step wi' his buits a' glaur. Noo, tae pit up some o' ma orders!   *Shop bell rings.* MRS M'ANDREW *enters*

TIBBIE. Guid mornin', Mrs M'Andrew, an' hoo are ye the day? It's a bittie since ye got this length.

MRS M'A. I really was forced to come along this morning. Our stupid grocer has again omitted part of my order, and here am I without the peaches I require for the sweet for luncheon. Do you stock peaches?

TIBBIE. Peaches, did ye say? I've nane o' them, but here's some graun' marmalade oranges—maybe they'll ser' the turn.

MRS M'A. Oh, no, no, no! I don't require them, but I really must get something. Have you no tinned fruit of any description?

TIBBIE. It's tinned fruit ye're needin'? Hoo wis a body tae ken that? Noo, let's see. It runs i' ma heid I hae some tins o' stuff i' the attic.

           Fusses out of shop to search

MRS M'A. What an awful woman! I'd rather do anything than come here to shop, but Tom's sweet must be specially nice to-day. It's his birthday. [*Hears* TIBBIE *in distance.*] Here she is coming. I do hope she has been successful. [*Enter* TIBBIE, *carrying a tin of pears.*] How lovely, Miss M'Fash, a nice big tin of pears!

TIBBIE. Aye, I got it alow the attic bed among the lamp glasses, moose traps and sic like things. I mind I had them in stock afore the war, but they got that dear, folk couldna pey for them, so I put them awa' oot o' their sicht. The tin's got a bit dent in't but it'll be nane the waur o' that. An' hoo did ye say ye were keepin'? When will yer freen's, the Patricks, be comin' again? It maun be aboot their time?

MRS M'A. [*examining tin dubiously*]. I really can't say, Miss M'Fash, but do you think these pears will be good?

TIBBIE. Guid, did ye say? An' what for no'? D'ye think I buy in ony inferior stuffs? An' it's been weel kept tae; I hae tae keep the bed I had it under aye weel aired in case Uncle John comes, for he canna dae wi' the damp. An' did ye say the Patricks wadna be comin'. Has the auld maid no' managed tae catch yon bit pentin' man she had wi' her the last time? An' what aboot the young chap? Has he no' gotten a young wumman yet?

MRS M'A. [*edging for door*]. You must excuse me, Miss M'Fash, I must run. The luncheon will be spoiling. Good morning. *Hurries out of shop*

TIBBIE. Lunchun, indeed! Did ye ever hear the like? It's eneuch tae mak' Tam the Joiner's auld mither, Bet, turn i' her grave. Puir Tam, judgin' by the look o' him, he throve better on auld Bet's dumplin's and kail than he dis on this yin's sweets an' sic like—a lot o' feedin' in sweeties for a man's denner! But she's an upsettin' bit o' a thing. She'll no' tell a body very muckle, no' that I'd be speirin' her—far frae that—I tak nae interest in ither fowk's affairs.

Bell rings again, man's voice is heard off, shouting "M'Fash"

TIBBIE [*aside*]. M'Fash, is't? It used tae be Tib afore he fell in wi' yon reid-haired besom up at the Ha'. [*Rushes to door.*] Ay, Postie, comin'! Ye'll no come in, hae nae time for ma clash! [*Letters thrown in.*] Sic mainners chuckin' in a body's correspondence like that. I'll warrant he disna' dae that at the Ha'. An' clash! the impidence o' 'im. Time was when he wasna abune sittin' thro' in the kitchen haein' a drink o' tea wi' me, but the reid hair has turned his heid a' thegither, but he'll maybe be gled yet tae come back tae Tib. [*Looks at letters.*] Twa the day. [*Opens No. 1.*] Frae

Uncle John—"Hope tae gie me a veesit next week"—
vessitation wad be nearer the mark! He's gettin' that
bad tae dae wi' but wi' his puckle siller it's jist as weel
tae be ceevil. I'll hae tae get the garret bed cleared this
time. Sic a bit stramash on his last veesit! I'd forgotten
tae pit awa' the butter an' eggs frae the ferm. I aye
keep them on top o' the garret bed till they're needed,
an' it wasna' ma blame he clankit doon on them an'
made a mixtur' o' eggs and butter. Fair indignant
the man wis! Blamin' me—me that had peyed for the
lot. Aye, aye, but as Shakespeare or some other o' thae
writin' fowks says, "A pickle money covers a multitude
o' sins." [*Examines No. 2 carefully.*] Noo, wha can this
be frae? [*Opens letter, smirks, pats hair and looks generally
well pleased with herself.*] Imph! Noo that's wice-like!
[*Nods head as she re-reads letter.*] "Mr and Mrs Farral,"
that's oor minister and his wife, "request the pleasure
of Miss M'Fash's company at a con-conver-conver-
sazione to be held in the School on Friday the* ——
of —— at 8 p.m." An' that's the nicht! What ever can
I wear? I hevna' had on ma black satin waist since
Aunt Jen deed. I'll hae tae tak' aff the jet ornaments
and shew on some bits o' colour and wi' ma yella'
beads I'll be a' richt. Noo, I wonder if Mrs Todd's
got an invite? I'll hae tae speir at Jess when she comes
ower tae tak' chairge this efternune. [*Crosses to window.*]
Aye, she's gotten an invite richt eneugh. There's her
auld grey frock hingin' on the rope tae blaw awa' the
smell o' thae moth balls, I'll warrant. She's no' had that
frock on since her youngest was krisened, and he'll hae
been at the schule a guid 'ear noo. Weel, she needna
think I'm gaun tae be seen wi' her. Sic a ticket as
she'll be noo in a frock made a dizen 'ear syne.

        Shop bell rings. Enter JESSIE TODD

JESSIE. Ma mither sent me ower tae say I wadna be
able to come till gey near teatime the day. She's that

*Fill in time to suit.

thrang wi' some engagements and I've tae help ye wi' the orders the noo.

TIBBIE. Engagements did ye say? That's something new. Wha can hae gotten engaged, lassie?

JESSIE. It's no' engagements like that she means. It's pairties, ye ken, an' sic like.

TIBBIE. Deed is't. I wondered hoo she'd gotten tae hear o' ony engagements. But if it's the meenister's conversazione ye'll be meanin', she's no' her lane. Her engagements—set her up! [*Sniffs. Continues in a very business-like tone of voice*] Noo for the orders. We'll jist pit them ready an' ye can tak' them as ye gang for your denner. It's gettin' on for closin' time a'ready. [*Consults dilapidated-looking ledger.*] Here's Mrs M'Tavish needin' twa pirns an' a dizzen buttons. Terrible steerin' laddies she's gotten, puir body! It's buttons and pirns every other week. [*Consults ledger.*] A dizzen bottles o' soda-waater for the meenister. What he dis wi' a' the soda-waater has aye troubled me an' nae servant they've ever had has been able tae say. Aye, an' Jess, when ye're takin' them, mind an' tell them aboot the emp'y bottles—fower short last time! An' he'll no' pey for them. Thae deils o' bairns o' his'll hae been makin' dolly-mollies o' them again. They dinna show muckle signs o' grace as he speaks aboot.

JESSIE. D'ye think I should mention the bottles the day? Are ye mindin' aboot the nicht's pairty?

TIBBIE. Guid preserve us! I'd forgotten. Say naethin' aboot the bottles till the pairty's ower. [*Studies ledger again.*] An' what's this tae gae wi' the soda waater [*Turns ledger about, trying to decipher item.*] A pund o'— tut! tut! con, tut! tut!—conversation lozenges. They'll be the Cupid's Whispers, Jessie, for the nicht. There's nane aboot reid hair is there, lassie? [*Both search intently, spelling and reading out typical whispers.*] Naethin' at a'. That's a peety! But here's a guid yin. Listen [*reads*], "Trusting and true, I love you." Noo I hope Wullie the postie's there the nicht. Noo, Jess, if ye'll jist tak' thae things roon' an' ca' back when ye've had yer tea, I'll get time then tae mak' masel' ready for the spree the nicht.

JESSIE. Richt o! See ye efter!

TIBBIE. Noo tae pit this on the door an' see aboot some denner.

Exhibits notice—" This Emporium is closed daily from 1 p.m. to 2 p.m."

Curtain—End of Scene I

SCENE II

TIBBIE [*hurries into shop, removes placard from door*]. Heech! Hoo quick an 'oor passes. It'll sune be time for the baker an' I maun mind it's pan loaves the new groom's wife wants. She's anither madam. Ye'd think I was makin' a fortune oot o' buyin' in her breid insteed o' jist obleegin' her an' makin' a bawbee. Sic orders aboot what she wants. She'll hae tae lairn that Tib M'Fash tak's nae orders frae the likes o' her. An' the dress o' her, pent an' poother an' a' her extras. No tae mention wee bits o' shears an' things for keepin' her nails in order. Of course, I've never seen 'er but frae a' accounts she maun be a hussy.

Bell rings. Enter ROB, *the baker*

ROB [*quickly and in high-pitched voice*]. An' hoo are ye this efternune, Miss M'Fash? Aye, I was sayin', Hoo are ye? Graun' weather we're haein'. Ye'll be gaun tae the pairty the nicht. See an' gie them yin o' yer recitations. Aye, I was sayin', mind an' gie them yin o' yer recitations. Ye ken hoo they're aye appreciated. An' what will ye be needin' the day. Hoo mony loaves an' sic like.

TIBBIE. Five loaves, twa o' them pans. [ROB, *rubbing*

hands and obviously impatient makes for the door.] Jist wait a wee, ma mannie. I'll hae a trekle bannie for Sunday. Aye, an' maybe fower ha'penny scones, the herd's wife an' her laddie'll maybe be doon the morn.

ROB. Richt!

> *Goes out saying very rapidly, "Five loaves, two pans," etc.*

TIBBIE. Sic a man! A body canna get a word in an' he's aye in sic a hurry. He's nae time tae tell ye onythin'.   ROB *hurries in with basket*

ROB. Here ye are, Miss M'Fash! Ye'll find that a' richt. Three and a penny for the lot. Aye, I was sayin' three and a penny for the lot. Three bob seein' ye're no' a'body. Hae ye nae change? Weel, weel, I'll jist hae tae change yer note. Aye, I'll jist hae tae change't. [*Searches in bag, worn over shoulder, for change.*] Did ye hear aboot Jock Smith o' the Raw nearly fellin' his faither, drappit a bag o' tatties on his heid, an' Jean White's coo's deid. Mag Tamson's ta'en tae her bed wi' a sair back, had ower muckle tae dae at the pig killin'. Aye, I was sayin' jist ower muckle tae dae. Seeven shilling's change, that's richt. Hae a guid time at the pairty. Guid day wi' ye.

TIBBIE. Weel, weel, it's a peety he's aye in siccan a hurry. I'm fell sorry tae hear aboot Jean White's coo, but Jock Smith, I'm thinkin', wadna be muckle loss. [*Crosses to window.*] I wonder wha that can be comin' along the road. Some veesitor at the Lodge, maybe.

> *Bell rings. Enter* MRS PERRY

MRS PERRY. Good afternoon! Very pleasant for walking to-day.

TIBBIE. 'Tis that, noo! Ye'll be a stranger tae this pairt?

MRS PERRY. Well, yes, but I hope I shan't long remain a stranger. Everything here seems so nice. Have you any darning wool?

TIBBIE. Aye, I hae that. I thocht I hadna seen ye

aboot till the day. Ye'll be frae the Lodge, likely?
What colour did ye say?

MRS PERRY. Dark grey. What lovely hair you have,
Miss M'Fash! And you dress it so beautifully. I do
admire it.

TIBBIE. D'ye no prefer a touch o' reid—maist fowks
seem tae hae that fancy?

MRS PERRY. Red! Oh, dear! No! I hate red hair.
Whenever I see that housekeeper woman from the
Hall with her glaring red hair, I shudder. And it's so
scanty—not luxurious, like yours.

TIBBIE [*patting hair and preening herself*]. Aye, mine's
no' sae bad, but I never was yin tae dress it up to show
it aff.

MRS PERRY. It is beautiful as it is. If you don't mind,
Miss M'Fash, I shall just take my bread also, if the
baker has been—pan loaves I hope he left me.

TIBBIE [*in surprised tones*]. An' ye're Mrs Perry. Well,
I am pleased tae meet ye. Richt gled I am tae ken
sic a sensible body. It's nae bother at a' aboot the
breid. Jist ye let me ken what ye want an' I'll see ye
get it.

MRS PERRY. Good afternoon, Miss M'Fash, I'm so
glad I came down to-day. It's always best to see people
for oneself and not judge by what others say.

Exit MRS PERRY

TIBBIE. Noo that's a bit nice lassie an' kens what she's
talkin' aboot, but [*thoughtfully*] what wad she be meanin'
by that last bit? Naebody shurely ever had the impid-
ence tae sae ony untruths aboot me—me wha wadna
hairm onybody by thocht, word, or deed. But that
could never be, she maun be takin't tae hersel'. Here
comes Jess. Noo tae get ma guid claes ready.

Enter JESS *giggling*

JESS. Sic a cairry-on we've had wi' ma mither's grey
goon. We've had tae pit gussets under baith airms an'
a big buckle i' the front tae hide what ma faither ca's

the defeeciencies—whatever they may be! but if he means her pink flannel slipbodice, he's richt.

TIBBIE. Weel, it's tae be hoped yer mither'll no' hae cause tae skirl and leuch an' show ony o' her defeeciencies. Noo Jess, I'll hae tae get masel' red up for the nicht—no' that I'm botherin' masel' that muckle, but a body's the better o' a guid wash afore gaun oot among the gentry. Jist sit doon an' hae a lesson an' I'll no' be that long. *Exit*

JESS [*seated*]. Here's ma book! But it's nae lesson book. Liz Scott gie'd me a len' o't. It's a book on "Ettikwette"—that means it tells whit ye should dae at a dance. Ye see we, the leddies o' oor Institute, are giein' a dance in a fortnicht, an' we hae tae dae a' the speirin' and interdoocin' instead o' the men. Liz has markit the bits I've tae tak' maist notice o'. [*Reads.*] Did ye ever hear the like o' this. Jist listen, "Flex the elbow of right arm, crook the wrist, keeping the hand high." That's hoo tae shak' han's. [*Practises several times.*] Dear! Oh, dear! ma haun's that sair I'll niver ca' the kirn the morn. [*Rises and is busy practising and giggling when bell rings, rushes to hide book.*] Wha's that? Oh, it's you, Johnnie Johnson, wantin' yer mither's breid. Here ye are then [*hands parcel out of door*], an' mind an' tell your Tam I was askin' for 'im an' he's no tae forget the dance on Friday the ——. [*Returns to chair and resumes reading.*] Here we are then! What's next? Hoo tae ask for a dance. [*Studies book.*] Noo, ye see, nane o' them ken the richt wey. Some o' them say, "Hey!" or "Hey, Jess!" or jist "Come on." If they dinna ken ye very weel it's sometimes "Are ye gaun up?" or "Will ye hae this yin?" But I'm gaun tae learn the richt wey in "Ettikwette," an' it's [*slowly in unnatural tone*], "May I have the pleasure of this dence?" [*Remains seated for a time, nodding her head as if memorising phrase, then bursts into a loud laugh.*] Losh! I wad like tae see Tam Johnson's face when I speir at him an' I'll hae tae ask him for the

74

first dance. [*Laughs again heartily, bowing and repeating*], "May I have the pleasure."

Enter TIBBIE

TIBBIE. What's tae'n the lassie? Are ye weel eneuch? Ye hevna ta'en yin o' thae historical fits a body reads aboot.

JESSIE [*trying to hide book in her clothing*]. Na, na, Miss M'Fash, I'm a' richt. I was jist thinkin' what ma mither wad be like if her muckle buckle came aff the nicht.

TIBBIE. Nae wunner ye skirl and leuch wi' a mither that gauns on as she does, but should she this nicht show signs o' singin' or rederin', as the meenister ca's it, "The Farmer's Boy," or offerin' tae gie us the Sword Dance, I'll very pointedly remind her o' a' her defeeciencies. Ye can trust Tib M'Fash. Noo, Jess, ye'd better be gaun hame. Guid nicht!

JESSIE. Guid nicht, Miss M'Fash.

TIBBIE. Och aye! This has been a day. What wi' yae thing an' anither I hevna got that muckle dune, but I think I've made a graun' job o' this waist. The reid-haired yin'll hae tae be gey smert tae match this, an' Wull, the post, aye liked a weel-pit-on wumman. [*Jingles beads, pats brooches, etc. Bell rings,* TIBBIE *looks out.*] Oh, it's you, Mrs Todd, I'm comin'! I'm comin'! Jist a wee! [*Aside.*] Puir body tae! She's better than nae company an' her auld goon'll mak' mine shine a' the mair. Weel, I'll hae tae be up betimes the morn an' get a' the reddin'-up dune. Some fowks say the morn never comes an' maybe they're richt. Coming! Mrs Todd! *Exit.*

Curtain

KIRKBRIDE

Robert Reid

This fine poem is by Robert Reid, a native of Wanlock-head, where he was born in 1850. He wrote under the pen-name of Robert Wanlock. A volume of his poems, entitled *Moorland Rhymes*, was published in 1874. The ruined church of Kirkbride is near Sanquhar, Dumfriesshire, and a number of the old Covenanters are buried there.

Bury me in Kirkbride,
　　Where the Lord's redeemed anes lie;
The auld kirkyard on the green hillside,
　　Under the open sky,
　　Under the open sky.
On the breist o' the brae sae steep,
　　And side by side wi' the banes that lie
Streiked there in their hinmost sleep.

This puir dune body maun sune be dust,
　　But it thrills wi' a stound o' pride,
To ken it will mix wi' the great and just
　　That are buried in thee, Kirkbride.

Wheesht! Did the saft wind speak?
　　Or a yammerin' nicht bird cry?
Did I dream that a warm hand touched my cheek
　　And a winsome face gaed by?
　　And a winsome face gaed by?
Wi' a far-aff licht in its een—
　　A licht that bude come frae the dazzlin' sky,
For it spak' o' the sternies' sheen.

Age may be donnert and dazed and blin'
   But I'll warrant, whate'er betide,
A true heart here made tryst wi' my ane,
   And the tryst word was—Kirkbride!

Hark! frae the far hill-taps,
   And laigh frae the lanesome glen,
A sweet psalm tune, like a late dew, draps
   Its wild notes doon the wind,
   Its wild notes doon the wind.
Wi' a kent soun' ower my mind?
   For we sang't on the muir, a wheen huntit men,
Wi' oor lives in oor hands, lang syne;

But naething on earth can disturb this sang,
   Were it Clavers in a' his pride,
For it's raised by the Lord's ain ransomed thrang
   Foregathered abune Kirkbride.

I hear May Moril's tongue,
   That I wist na' to hear again;
And there 'twas the black Macmichael's sang
   Clear in the closin' strain,
   Clear in the closin' strain.
Frae his big heart bauld and true;
   It stirs my soul as in days bygane,
When his guid braidsword he drew;

I need maun be aff to the moors ance mair,
   For he'll miss me by his side;
In the thrang o' the battle I aye was there,
   And sae maun it be in Kirkbride.

Rax me my staff and plaid,
  That in readiness I may be;
And dinna forget that The Book be laid
  Open across my knee,
  Open across my knee.
And a text close by my thoom;
  And tell me true, for I scarce can see,
That the words are, "Lo, I come!"

Then carry me through at the Cample Ford,
  And up the lang hillside;
And I'll wait for the comin' o' God the Lord
  In a neuk o' the auld Kirkbride.

JEEMS TAK'S THE CHAIR

Irvine Greig

**ORIGINAL CHARACTER SKETCH WRITTEN FOR
A BURNS' NICHT**

JEEMS *enters in overcoat, cap, etc. He takes off his things
while speaking, and seats himself at a table, the* DOMINIE
and WULLIE *on his right, and* TAM *and* ROBERT *on his left.
He is a genial, kindly soul.*

Sic a nicht, lads! I'm thinkin' we're a' ower het at
at hame. We're a hardy race, eh? To think o' an auld
man like me, bravin' the illiments on a nicht like
this. We'll nae see Geordie Souter here the nicht.
He's ditched! I stoppit a meenit tae gie him a han',
but I'm thinkin' him an' his Tin Leezie'll be there
ower the New 'ear. [*In answer.*] Fat? Na, na, nae
accident. He jist gaed oot o' the rut a bittie, an' afore
he kent faur he wis, his back wheelies hid skyted intil
the ditch. [*In answer.*] Aye, aye, he's aye there yet.
He maybe thinks if he stan's lang eneuch an' blaws
abeant, it'll maybe thaw't oot. Puir crater.

Weel, Dominie, fu's yer bairn? That's guid news.
And yer Mither, Tam! Is she better? I'm sorry tae
hear that, puir body. This wither disna' gie the auld
fowks a chance. Rheumatics is jist skirlin' in a' their
j'ints.

Noo we maun get tae business. Ye ken we've met
the nicht tae get up a programme for oor Burns' Nicht.
[*In answer.*] Aye, I ken that, there's four or five weeks
till't yet. But in my opeenion it's aye better tae lat a
thing like that simmer a whilie, an' besides there's sich
a rush aboot the New 'ear we wudna' hae time tae ca'

79

a meetin' till weel intae the month. I hope ye've been lookin' at yer Burns a bittie, and are a' bulgin' wi' suggestions. It's a recht peety that fowk dinna ken their Burns better. I wis jist ha'in' a look at Tam O' Shanter yestreen, an' lachin' tae mysel' ower his description o' a' the deemies dancin' i' the kirk, faun the guid wife ca'ed me thro' tae my supper. It wis a bowlie o' sewens, extra fine like, sae jist tae mak' mysel' pleesant (I jist dae't files), I gaed her a poke an' ses, "Weel daen Cutty Sark." My, she wis that affrontit, an' went on aboot "ca'in' dacent fowk sic names." "Hoots wumman," ses I, "that's Burns," an' I p'inted oot the linie, but she wudna' listen, an' mutter't somethin' aboot fowk thinkin' shame o' theirsel's pittin' aboot sarks in a printed buik. Ha, ha! Thinks I tae mysel', I cud read some verses tae ye, that wud gar yer auld heid stan' oot like a porkypine.

[*In answer.*] Na, na, we've naethin' tae dae wi' the supper. That's taen ower by Macaldooie o' Fustle-drummie. We've tae cater for the intellect, as ye micht say, an' that's aye a kittly job.

Seein' that I hae the word i' the noo, I wud suggeest that we ask the Laird tae tak' the cheer, an' gie an address on Burns. [*In answer.*] Fat? Fowk dinna like addresses! Oh, aye, but there's addresses an' addresses, an' oor Laird's nae lang-winded ye ken. Keep him aff the subject o' the dole, an' he'll dae fine. Then I met that bonnie lassie o' Jamieson's the ither day, an' she promised tae sing "John Anderson my Jo" an' "Comin' thro' the Rye." I aye hae my joke wi' a bonnie lassie, sae I speirt gin she kent the auld version o't. She said she didna', but I'm some thinkin' she did. Div ye nae ken't?

> Comin' thro' the Rye, puir body,
>   Comin' thro' the Rye,
> She draggl't a' her pettiecoaties,
>   Comin' thro' the Rye.

> Jenny's a' weet, puir body,
>   Jenny's seldom dry;
> She draggl't a' her pettiecoaties,
>   Comin' thro' the Rye."

[*In answer.*] Ha, ha, laddie, ye're maybe recht. Robbie'll hae kent that the fashions wud chaenge. They tell me lassies dinna weir sic things noo-a-days, but faith, I dinna ken.

Noo, Dominie, fat are ye gaun tae contreebute? [*In answer.*] Aye, that's fine. We canna hae a Burns' Nicht wi'oot "The Cotter's Saturday Nicht." "Fat form wull't tak?" It maunna be an address ye ken. [*In answer.*] A' recht, we'll jist pit it doon, an' syne ye can dae fat ye like. I wud suggest that ye recite bitties o't. It aye gings doon wi' the weemen fowk. Tak' for example:—

> "The mither wi' her needle and her sheers,
>   Gars auld claes look amaist as weel's the new,
> The faither mixes a' wi' admonition due."

I'm thinking admonition alane, noo-a-days, hisna muckle effek. Eh, Dominie? Ye ocht tae ken. [*In answer.*] Fat's that ye're sayin', Wullie? Ye'd like yer favourite versie tae? "O wad some power the giftie gie us." Losh man, ging hame and read yer Burns. That's nae oot o' the "Cotter."

> "O wad some power the giftie gie us,
>   To see oursels as ithers see us,
> It wud frae mony a blunder free us,
>   And foolish notion.
> What airs in dress and gait wad leave us,
>   And e'en devotion."

That's jist a hame truth, a hame truth, I tell ye. It applies tae a'body, be it Scot or Hottentot, it's a' the same. If fowk cud but see theirsel's as ithers see them, there wud be a few o's wantin' tae mak' a change, I'm thinkin'. And tae think that the laddie brings in a gem

like that, at the hinner en' o' a curn verses addressed
tae a wee, nasty, craulin' beastie, that naebody cares a
crack o' the thoomb aboot. It's extraordinar'. Ye'll
need tae dae't awfu' weel, Dominie, for Robbie's got
yer epitaph ready for ye, ye ken. Let's see fu' it gings:—

> "Here lie Willie Michie's banes,
>   O Satan, when ye tak' him,
>   Gie him the schoolin' o' yer weans,
>   For clever deils he'll mak' 'em."

Fat div ye think o' that for a testimonial, Dominie.
[*In answer.*] Fat? Some dootfu' kin'? Ye'll nivver get
a better, my mannie. Nivver.

Noo, Tam, it's yer turn. I ken fine fat ye're gaun tae
dae. He's gaun tae sing, "My luv is like a red, red rose."
[*He sings first line.*] I ken a' aboot it, Tam. I saw ye last
Saturday nicht, an' a recht bonnie lassie she is. It wis a
braw, bricht, moonlicht nicht, ye ken, an' the roads were
gae slippy, aye terrible slippy, an' Tam, bein' a gentle-
man, he hid tae pit his airm roun' 'er tae keep 'er fae
fa'in'. He gaes on the preenciple that fower feet's better
nor twa, but I'm thinkin' she'd hae got hame seener on
her ain twa feet. Ye needna' look sae glaikit, laddie,
we've a' daen the same thing mony a time oorsel's,
aye, an' I'd dae't the nicht if a bonnie lassie wud look
at me. We'll pit ye doon for twa songs an' leave the
ch'ice tae yersel'.

Noo, Wullie, ye'll hae yer fiddle an' ye'll gies a
selection. Faun ye tak' yer fiddle antil yer oxter,
laddie, a'body jist gets youkie. [*In answer.*] Speak
oot, I canna hear ye. Oh! that wud be gran'. Ye mean
tae say the lassie wud play the piana, ye wud fiddle,
an' the wee quinie wud dance. Splendid! Fat wud ye
ca' that? A triplet? Oh! aye, I'min' noo, a trio.
Weel, weel.

Come on, Robert, oot wi't. I'm listenin'. [*In answer.*]
Of coorse, ye're in the kirk choir, I wis forgettin' that.

Fat are they gaun tae gie's this time? [*In answer.*]
"Duncan Gray," aye, that's aye a favourite, an' then,
"The de'ils awa' wi' the Exciseman." [*He hums it while
writing it down.*] It's recht bonnie faun ye a' sing in
pairts. It min's me o' the days faun I hid a bit o' a
vice mysel'.

[*In answer.*] Dae something mysel'? Na, na, I'm ower
auld, it wud pit me aff my sleep tae stan' on a platform.
It's nae that I hinna a great admiration for Burns, for
I think he's gran'. There's something for a'body in
Burns. He's ane o' Nature's poets, if ever there wis ane,
a poet born, not made, as some great man aince said.
The laddie himself kent fat he wintit, faun he said in a
letter, addressed tae a freen, a certain John Lapraik:—

> "Gie me ae spark o' Nature's fire,
>   That's a' the learnin' I desire,
>   Then, tho' I drudge thro' dub and mire,
>   At pleugh or cairt,
>   My muse, tho' hamely in attire,
>   May touch the hairt."

And that's jist fat the laddie daes. He gings stracht
tae the hairt. Weel, I'm thinkin' that'll dae i' the noo.
It'll work oot fine. There'll be some modifications, nae
doot, an' some addeetions an' subtractions, but we'll
hae tae ca' anither meetin' later on. [*He gets up and
dresses himself while speaking.*] Are ye comin' my road,
Dominie? That's recht. We'll maybe be able tae gie
Geordie a haul oot o' the ditch yet? Ye micht see that a'
the lichties are oot an' the door lockit afore ye ging awa',
Tam, an' han' the key in at the wifie's. Guid nicht tae
ye lads, an' thank ye a' for comin'. We'll awa',
Dominie.

AUNT TEENIE'S VISIT TO AULD REEKIE

R. M. WILLIAMSON

MISS CHRISTINA SNELL (better known as "Aunt Teenie"), of Innerleithen, is a sonsy Scots spinster of uncertain age; a hard-working, douce body, whose speech is as plain as her looks. How she recently planned a trip to the Capital, with a definite object in view, can be best described in an extract from a letter to her married sister, Mrs Johnston, now of Calgary, Canada.

"Dear Lizzie," it ran, "nae doobt ye will be wondering hoo we are all getting on in Innerleithen. Weel, it hasna changed much since ye left; a wheen new shops and hooses, but the greatest improvement we hae is the grand buses and motors rinning to a' pairts o' the country and toons. I took a great fancy the ither day to hae a rin intae Edinburgh. I had been nursin' a secret ambeetion in my breast for mony a day. A'body here was getting their hair bobbed, auld and young alike, and I wis getting that auld-fashioned I determined tae get mine done tae, and be up to date. Ye mind Mrs Macfarlane, her that used to work in the Mill at the same loom wi' you? Weel, her laddie Jock got 'fed up' here and went tae work in a fine barber's shop in Edinburgh. I heard the laddie had got on weel, and was a fair dab at his wark, so I made up ma' mind tae visit Jock. Ye ken that impident, nesty bizzom o' a neebour, Jean Mactickle? Her that's aye imitating the way I dress, and copies my hats. I heard she was thinking o' having her hair shingled, so I wasna going tae be ahint her.

"It was a braw simmer morning, so efter I'd fed the hens, the cats, and the lodgers, I thocht I'd get ready. I left the lodgers' denners a' set oot (I've still Mr

84

MacGoudie, the clerk in the Mill, and Sam Jenkins, the English laddie, him that works in the 'Co-op.'), a nice shape o' potted heid, cut in twa, and a tasty Faroly puddin'. The lassie next door promised tae bile the tatties.

"Weel, I got off at last, and had a nice birl intae Edinburgh. Fine civil laddies thae conductors, helpin' a body on tae the bus!

"When we got to Edinburgh I went richt tae the hairdresser's shop where Jock worked. 'I want to see Mr Macfarlane,' says I, tae the young leddy, in ma best English. She went ben the back, and oot comes a curly-heided furriner who says tae me, rubbing his hands, 'Madame, I regret zee young man is not at beeziness. His grandmère has—fat you call it?—kicked zee bucket.' Weel, thinks I, Jock's wanted off for Musselburgh Races or something like that, for fine I kent baith his grannies were deed lang syne, me having helped tae lay them oot, puir sowls, but I didna gie Jock awa', and politely thanked the froggy gentleman.

"I wandered aboot for hours efter this, seeing the braw shops and makin' a wheen purchases, and noticing a' the new fashions, till I felt fair faintin' for want o' something tae eat. I had ate ma 'piece' in the bus, and noo it was six by the clock at the West End. So, thinks I, I'll juist hae a slap-up ham and egg tea, and I wanders intae the big hotel, and was politely shown intae a fine big room wi' a' the tables bonny set oot. I got sittin' doon wi' a' ma paircels, and a big waiter felly comes up and says, 'Would Moddom like a cocktail?' 'Havers! man,' says I, 'I've got hundreds o' them at Innerleithen!' Then he hands a muckle card tae me, and says, 'Would Moddom like table d'hôte or *à la carte*?' 'Michty me, man,' says I, 'can ye no' talk plain English? What's a' this clash aboot cocks' tails and carts? Are ye takin' a rise oot o' me because ye see I'm frae the country? I want a plain ham and egg tea, twa eggs weel dune baith sides, and some cookies and cakes, and mind I'm no' payin' ye a penny mair than half a croon, and if ye're smert I'll maybe gie ye tippence tae yersel'. Weel, wi' that he bristles up and tells me he canna serve me as the tables were a' set for denner. 'Denner!' says I, 'whae-ever heard o' takin' denner at this time o' night, no' in Innerleithen onywey.' So wi' that, I gethers ma bit paircels and ma umbrelly and marches oot.

"I got a fine ham and egg tea at a wee shop in Rose Street, an' it didna cost me half a croon either, though I nearly telt the waitress lassie to blaw her nose and stop scartin' her heid.

"By this time I was fair tired oot, and gled tae get a seat in the bus back hame. Edinburgh's a bonny place, bit it's ower noisy for me. I had a fine birl hame, and wha dae ye think was waitin' for me in the parlour? Jean Mactickle, if ye please, as bold as brass and smilin' all over her face. 'Teenie,' she says, 'dae ye no' ken a difference on me?' and she gies a wee grin. Losh me! the cratur' was bobbed and shingled like yin o' thae wax heids ye see in hairdressers' windies!

"'Ay,' says Jean, 'Jock Macfarlane from Edinburgh was here for the day, and I asked him tae his tea—oh yes, a guid tea! A tin o' salmon and half a dozen meringues—and as he had brocht his shears wi' him, he says, 'Sit doon, Miss Mactickle, and I'll bob your hair for ye.'

"Noo, Lizzie, I mun feenish ma letter. I left Mr MacGoudie's sausages in the pan, and he doesna like them burnt.—Your affectionate sister,

"TEENIE."

From *S.M.T. Magazine*, by kind permission of the Editor and Author

DEALING IN CHRISTMAS POULTRY

N. M. Campbell ("Jeems Lowrie")

CHARACTERS

Peter M'Doo	Butcher, middle-aged
Mrs Scrooge	Farmer's wife
Miss Jemima Plucker	Crofter's young daughter

Scene: *The butcher's shop.* Peter *stands behind the counter whistling, his attention absorbed in the newspaper. Shop bell rings. Enter* Miss Jemima Plucker *carrying a basket and beaming with smiles.*

Jemima. Foo are ye, Mr M'Doo? But I needna speir, ye aye look killin'. It's yer guid natur' an' yer better beef that mak's ye sae weel-faurt.

Peter. Ay, ay, trooel on yer saft soap, Jemima. Ye've a tongue that wad tryst a kipper fae a tam cat. Fat seek ye?

Jemima. Naething, ye ill-thochtet footer. I've some awfu' bonnie chuckies to sell. Ye'll gies a shillin' a pun'.

Enter Mrs Scrooge *panting and scowling*

Mrs Scrooge. Weel, Peter, ye're seerly in an ill teen. That crabbit phisog o' yours wad spean a foal. I'm giein' ye my deukies and I maun hae tap price. And do me gin ye daur.

Jemima [*singing*]. High, high are oor hopes for Ma Scrooge has said, "Do me gin ye daur" to M'Doo.

Mrs Scrooge. Weesht, ye hizzie, ye ken my deukies. They're aye sae sappy and ten'er.

Peter [*wildly*]. Ten'er! Lat me tell ye aboot ane o' the last I bocht fae ye. Deukie! It was ane o' the aunshent Britons. The sooter's wife bocht it, took it hame and roastet it for sax oors. The sooter tried to carv't.

He reeved and howket wi't a' efterneen. Naething deein'. His croon gied a crack. He gied mad. They had him awa' to the toon to the daftie speesh'list.

JEMIMA [*taking an orange from her basket*]. Hae, Peter, tak' some refreshment to queel ye.

PETER [*ignoring her*]. Ilka umman body he saw he yowl't "Ducky! Ducky!" at. He grippet the doctor roon the neck an' loot aff a "Quack." Syne there was twa madmen. The speesh'list billie furl't him roon like a totum, yarket him to the door an' the tae o' his beet left a nesty impression ahin'.

MRS SCROOGE *drops on a chair and gasps*

JEMIMA [*laughing*]. Eh, Peter, gae awa' for yer saut bauket an' syne tell's fat happen't neist.

PETER [*shaking his head solemnly*]. The sooter cower't up. The speesh'list is noo ane o' his ain paishents.

MRS SCROOGE [*standing up suddenly and shaking her fist in his face*]. Ye bletherin' eediot, gin I were yer wife I'd skin ye alive.

PETER [*soothingly*]. Hoot awa', missus, keep yer birse doon. There's plenty weemin' tryin' to skin me eynoo without my ain auld ane tryin't.

JEMIMA [*coaxingly*]. I'll be rael weel pleased wi' tenpence for my hens.

PETER [*gesticulating wildly*]. Tenpence! Great Scot! Tenpence! lassie, hae ye ony conshence.

JEMIMA. Yes, I have nae ban—I mean nae Cochins, naething but barnyard chuckies. I'm jist awfu' obleeg't to ye, Peter, ye're a fine chiel. Noo tak' a slabber at this sappy orange.

MRS SCROOGE [*breathlessly*]. Ye daur to threep that my deuks are teuch, Peter M'Doo. An' fat aboot that daud o' the vera coo that jumpet ower the meen I bocht fae ye on Feersday. Peer auld granny was rivin' an' ruggin' at it gye near the kitchie wa'. She left her hale seam o' teeth in't an' her heid gied back wi' a yark. Sic a start's I got.

PETER. Ach, there's naething in this warld better for a body than a guid start, Mrs Scrooge.

MRS SCROOGE. Lichtlifeein' my deukies, ye naisty cratur. An' them sic fine deukies an' aye sae fit for their maet.

PETER. Oh! nae doot. Yer man tell't me they gobbled up twa acre o' corn.

MRS SCROOGE. Weel, the corn did the deukies nae ill. You men fowk are aye sae oonrizzonable an' fashous.

JEMIMA. Ye railly ocht to gie me mair gin tenpence for my hens. Ye fairly swicket me wi' my spring cockerels. A'body spoke aboot it, even the minister on Sunday.

PETER. Noo, I dinna tell lees mysel' an' I winna hae them fae ither fowk.

JEMIMA. It's nae a lee, he preached that Peter crew an' the cocks gied oot an' wept bitterly.

PETER. Oh, Jemima Plucker! Jemima Plucker, O—O—O!

MRS SCROOGE. Haud yer yabblin' tongues an' lat me get in my wird. Noo, Peter, gin ye dinna gie's a richt price for my deuks I'll ett them mysel'.

JEMIMA. She'll ett the deukies an' a' an' a'. Skin, banes an' feathers, an' a', an' a'. An' gin the feathers'll sproot, it'll be yer first an' hinmost lik'ness to an angel.

MRS SCROOGE [threateningly]. Eh, lassie, ye're richt sair needin' a guid leerup roon the lugs.

PETER. Ye'd shortly be scunnert o' pickin' banes, an' syne ye'd be greenin' for the wing o' a stirk.

MRS SCROOGE. Naething can scunner me waur than yer ain kneevlicks o' girsle an' clorts o' fat.

PETER. Keep a calm sooch, my dear wumman; I'm plannin' to turn a'thing into sausages.

JEMIMA. Sic a houp! Weel, I'll mak' a pynt o' gaun roon amon' the neebors an' tellin' them to keep in their cats. In thae lang dark nichts there's nae sayin' fat may happen.

PETER. Weel, see that ye dinna gyang aboot lowse as a bad example to the lave.

JEMIMA springs at him and tries to box his ears

MRS SCROOGE. Nae mair o' this collieshangie noo, we're here for poultry dealin' an' it's time we begood to get to bizness.

JEMIMA. Hear, hear! Weel, Peter, I aye had an awfu' notion o' ye. I tell a' my frien's ye're a fine chiel an' I've the promise o' a hantle new customers to ye. It's jist awfu' freely o' ye to offer me an honest bob a pun' for my chuckies.

PETER. But, crickeydick, lassie, I never said it.

JEMIMA [*mimicking him*]. But, crickeydick, laddie, I said it, an' of coorse I'll pluck them wi' pleesure.

PETER. Nae doot, ye're fairly Plucker by name an' plucker by natur'. Ye've ower muckle pluck for me.

JEMIMA [*teasingly*]. Eh, Peter, aren't ye richt mad ye haena half as muckle. But ye're nae buyin' a pig in a poke. See, take her up tenderly, lift her with care.

She takes a large hen from her basket and flings it on the counter. PETER *starts back in pretended fear*

PETER. Is she—is she—is she livin'?

JEMIMA. No, ye gomeril, she's a common aucht-day corp.

PETER. An' is she—is she—is she ony like hersel'?

JEMIMA. Look an' see, tak' her up, she winna bite or fling.

PETER takes up the hen, holds her at arm's length and sniffs, then looks into its face

PETER. Aye, it's a weel fac'd, wise-lookin' beast. Ower wise lookin'. This beast's been a granny a gye puckle times. She's been ready for the auld age pension —unco lot o' humps an' howes in her hin' legs, she'd never had muckle chance o' gettin' the bewty prize for her shins, her complexion's some livery like. Did she craw?

JEMIMA. Na, but she sang mony a bonnie lay when eggs were dear. She was a wise breet. The things she didna ken nae ither hen had ony eese for kennin'.

PETER. Sic a peety that hen couldna speak.

JEMIMA. Aye, she'd been sayin' enoo [*striking a dramatic attitude*] "Such is life! Such is destiny! Yesterday we are eggs, to-morrow banes an' feather dusters."

MRS SCROOGE. Haud yer bletherin' tongues, I tell ye again, an' let me get in my wird for a cheenge. See here. [*She takes from her pocket a small duckling, puts it on counter.*] Nae fooshty hens fae me, tak' a look at this deuk.

> PETER *stares at the counter, puts on spectacles and stares again with open mouth and bewildered air*

JEMIMA. Look at the deid goloch on yer coonter, Peter, or is't an ettercap?

MRS SCROOGE [*with threatening gesture*]. Ye besom, let it lie.

JEMIMA. I thocht it was you that was lyin'. Peter, ye're lookin' gye fite aboot the gills. Are ye weel eneuch?

PETER [*gasping*]. Ay, browlie, considerin'. Ca' that a deuk. It's a deidly insult. It's eneuch to gar an honest man leave's country. Oh, I've seen a waur deuk; it was inside an egg that had been lyin' in a funn-buss for months. It's a piner. It's a shargar!

MRS SCROOGE. A' richt. Gie's't back, I didna bid ye buy't. I was gyaun to gie't to yer wife to roast for yer tea.

PETER [*grinning foolishly*]. Thenk ye, Mrs Scrooge. Awfu' kin' o' ye. Ye're a guid neebor. My certy, gin I get your deuk to my tea the nicht an' Jemima's hen to my denner the morn.

JEMIMA. Ye'll get it on ae condeetion, Peter—that ye gie me a bob a pun' for a' the lave.

PETER [*tearing his hair*]. Oh, you wimmen, ye'll hae me hairriet oot o' hoose an' ha'. Peety me!

MRS SCROOGE. Ay, peety you gin ye dinna gie me the vera tap price for my deuks efter makin' ye a present o' the sweetest an' sappiest o' the lot.

PETER dances round the shop in a frenzy

PETER. It's the Peershoose or the Lunatick that you randies'll hae me till.

JEMIMA. The hale rick-ma-tick o' hens an' deuks'll be here at the skreek o' day to bid ye guid-mornin'.

PETER flops down on a chair

PETER [*wildly*]. Sen' them! Sen' them! Onything—onything to get redd o' ye baith. As weel be hangit for a sheep as for a lamb.

MRS SCROOGE. Weel, Peter, I houp ye winna dee o' indisgeestion afore yer hangin' time comes. Ye should tak' Kruschen salts, syne ye'd be less like a cat wi' ten tails an' ilka tail brunt.

JEMIMA. The sheep an' the lamb bid ye guid-nicht, Peter. Ba—a—a!

Exit JEMIMA and MRS SCROOGE

PETER looks after them for a minute, then returns, throws himself on a chair and laughs uproariously

PETER. Weel, gin that disna cowe a' green thing. Ha! ha! ha! Eh, I'm a lucky chiel. Ho! ho! ho! Gin only a' mankind harkened to me, I'd advise them better than mony michty men. Gin a man want to be a prime fav'rite amon' the lasses an' hae a' the ladies thrawin' their gled necks an' glintin' their gled e'en at him [*he throws a kiss*], gin he wants to be jolly an' successfu' in bizness [*he rattles some money in his pocket*], gin he wants to be jumpin' his ain hicht wi' excitement an' hair-fleein' sensashons [*he cuts a few capers*] he needna stravaig fae place to place at balls an' horse races an' pickter shows an' fitba' matches. He'd far better bide in his ain neuk an' try "DEALIN' IN CHRISTMAS POULTRY."

Curtain

MRS MACKILLOP TAK'S A HAN'

Irvine Greig

ORIGINAL CHARACTER SKETCH

THE village Whist Club is holding its annual social
evening, and a friendly game is in progress. Some of the
older members are enjoying a chat until the game is
over. Mrs MacKillop is discovered sitting to right of
stage, knitting and talking to imaginary neighbour.
She wears old-fashioned clothes, and is loud and ani-
mated when talking. In centre of stage is a card table,
and four chairs arranged as for players. Thirteen cards
are lying on table.

Wi' that, I jist up an' tell't 'er fat I thocht o' 'er . . .
an ill-faurnt, feckless cratur, an' her wi' a character
frae the big hoose. As I wis sayin' tae [*in reply to neigh-
bour on right*] Eh! Somebody speakin' til me? [*In reply
to someone at table.*] I beg yer pardon, fat wis ye sayin'?
[*In reply.*] Eh, ha, ha, Mr Smith, I cudna' tak' a han'.
I eest tae play Auld Maid afore I wis mairrit, but that
wisna yesterday as ye weel ken. [*Laughs heartily.*] Na,
na, ask Mistress Budge here, she'll tak' a han'. [*In
reply.*] The last roun'? Oh, weel, jist tae obleege ye like,
bit I'm nae muckle guid.

> *Lays her knitting on chair and takes the chair at table
> facing audience.* MISS DOBBIE *sits on her left,* MR TOSH
> *on right, and* GEORDIE MACPHEE *is her partner*

Are ye tae be my pairtner, Geordie Macphee? Puir
man, I hope ye're in a guid teen? Wullie has tell't me
foo tae play whist, but I aye forgets. An' foo are ye
keepin', Miss Dobbie? Wis the jeelie pannie the recht
size? [*In reply.*] That's a peety, ye'll hae biled it ower
lang. No, I've nivver had the pleasure of meetin' ye,
Mr Tosh. Yer first wife an' me wis frien's at the
skweel, puir cratur. Wud yer second ane be here the

93

nicht? [*In reply.*] Oh, my, ye tell me that noo? Weel,
weel, ye'll be a recht prood man, Mr. Tosh. Is't a
laddie? Jist think o' that noo. [*Head follows the move-
ment of cards being dealt.*] My, ye're richt slippy at that.
I eest tae send them skytin' a' ower the fleer, an' Wullie
wis aye richt mad at me. Noo, bide a meenity afore we
stairt. There's twa things Wullie tell't me aye tae min'
—lat's think noo—aye, ye maun nivver lay a bigger
caird nor yer pairtner. [*In reply.*] Fat? Aye, weel, weel,
nivver tak' yer pairtner's trick, it's a' the same as lang
as I ken fat I mean mysel'; an' fan ye dinna ken fat tae
play ye lay ane o' yer frumps. [*In reply.*] Oh, trumps
is't, weel I kent it wis somethin' like that. Noo, ye tak'
them up, an' pit a' the reed anes an' a' the black anes
thegither. [*She does so very awkwardly, dropping a card,
putting each suit separately, etc.*]. Div ye mind if I pit them
black anes here [*on table*] just for a meenit . . . an' the
ither black anes [*in mouth*]. . . . Mercy, ye'd need twa
pairs o' han's tae haud a' this. I aye pit a' my frumps—
na, I mean trumps, tae this side. [*In reply to partner*]
I'm nae tellin' them fat I hae i' my han'. Foo cud
that tell onybody fat's in my han'. [*Indignantly.*] An
fat's mair, Geordie Macphee, ye're nae tae snap at me.
I canna play if I'm snappit at. Fa' stairts?

[*The game begins, and some practice is required to play out
the thirteen cards naturally as in a real game, showing sufficient
interest and at same time introducing following chatter.*]
They're recht bonnie cairdies. [*Turning them so as to
expose faces.*] Ye got them at Woolies, I'm thinkin'—
saxpence an' thrupenny tax. Ye winna' min' if I weet
my thoomb. Wullie eest to get recht mad at me for
daein't. Wis that my trick? Weel, lat's see—but noo,
foo can I ken that I'm nae gaen tae play a bigger caird
nor my pairtner fan he hasna' played yet? [*In reply.*]
Oh, aye, I see—aye, that wis recht silly o' me. [*Looks
about her, and smiles and nods to someone at next table.*] Good
evenin', Mrs Docherty, an' foo's wee Erchie? Is the

swallin' doon? [*In reply.*] I'm gled o' that noo. [*In reply to partner.*] I am payin' attention, but I maun jist tell Miss Dobbie this. Ye see, wee Erchie had an awfu' swall't face, sae I tell't his mither tae tie an auld worstit stockin' roun' his heid . . . ane that she'd been wearin' for a week or twa . . . it's jist a remedy for a' ills. Fat's the matter noo, man? [*In reply.*] Revokin'? Fat on airth's that? Wullie nivver tell't me aboot provokin'. [*In reply.*] Ye askit me for clubs? [*Indignant.*] Eh, Geordie Macphee, sic a lee. Ye've nivver opened yer moo sin the game stairtit. [*In reply.*] Oh, ye ca' that askin'? I'm sorry, but foo cud I ken that. I've jist got a wee clubbie onywey, jist the ace. [*In reply.*] Of coorse, I aye forgets that it's ane o' the games whaur ye tak' the ane oot afore the twa an' pit it ahin the King. There's an awfu' lot o' things tae min'. . . . [*In reply.*] Fat dae ye say, a forfeit? Forfeits? [*Rocking with laughter.*] Eh, me, I hinna heard the word forfeit sin I was a lassie. [*To* MISS DOBBIE.] My, div ye min' the pairties we eest tae ging til fan we were lassies? Foo wis't noo. Kneel tae the wittiest, bow tae the prettiest, an' kiss the one ye love best. Eh, but I enjoyed mysel' recht. I'd plenty o' lads aifter me afore Wullie hove in sicht, aye, an' aifter tae, I'm thinkin'.

Come on, Geordie man, doon wi' yer cairdie, ye're an awfu' crater tae think. Noo, that's my trick, I'm gettin' on fine. Wullie aye says I speak ower muckle, an' that it keeps fowk frae consecratin, but I canna thole lang faces. Ye micht be at a beerial the wey some fowks play cairds. [*Throwing down last card.*] Noo, Mr. Tosh, fat can ye dae against that? I'm thinkin' we've beaten them aifter a', Geordie. Weel, mony thanks tae ye. I've enjoyed my game jist extraordinar'. [*Getting up.*] I hear the welcome soun' o' the cuppies, we'll be gettin' wer tea noo, an' then we'll maybe hae a game at forfeits. Eh, Mr Tosh [*pokes him*] I'll see ye a' later. Faur's my shank?

OOR TIBBIE'S LAD

N. M. Campbell ("Jeems Lowrie")

CHARACTERS

Miss Maria Tosh	An elderly spinster, keeps a small country shop
Miss Poppy Pow	Her assistant, still in the sentimental flapper stage
Miss Ishbel M'Alister	Miss Tosh's niece, a typist in the city
Mr Dugald Sharp	Ishbel's fiancé, an insurance agent

SCENE: MISS TOSH'S *parlour. Door L. leads to shop. Door R. to garden. Parlour contains table, chairs, one big easy chair with back to shop door. Curtain rises on* POPPY *arranging flowers on table.*

POPPY. Eh, she's a virago! There's nae pleasin' her. I was engag'd to be hauf ahin' the coonter and hauf thro' the hoose. It's a hauf Lipton, hauf angel-scullerymaid she needs. Sez she, "G'wa and pit thae flooers in clean water, I'd like a'thing nice 'cause oor Tibbie's gotten a lad and she's bringin' him to see me." I'm nae carin' aboot her niece's lad, it's mair important that she's adverteez'd for a young chap to help her in the shop, and he's comin' here this nicht to see aboot it.

Enter MISS TOSH

MISS TOSH. Lassie, ye'll be the death o' me. Here's Mrs M'Fa, ane o' my best customers, comin' wi' an awfu' compleent that she bocht ceenimon, raisins, carbonate and tryckle, and ye coupit them a' thegither intil the tryckle flagon.

POPPY. Weel, she tell'd me they were for a dumplin'.

96

They were easier to cairry and she wadna hae to mix them efter. Some folk haena a please.

MISS TOSH [*angrily*]. Weel, it's a guid job it's yer hinmost day in the shop, ye'd hae me demented. [*She smells flowers.*] Mercy me, fat kin' o' water did ye pit them amon'?

POPPY. Soapy water; ye said it had to be clean, and ye're aye threepin' that naething can be clean withoot soap.

MISS TOSH [*sarcastically*]. It's a winner ye didna rin't thro the sausage machine to kill the germs same as ye did the first time I lippen'd ye to mak' the tea.

Knock at door R. Enter ISHBEL

ISHBEL. Good afternoon, auntie. Cheerio, Poppy. Having a little argument about things as usual?

MISS TOSH. Lassies, noo-a-days, are an awfu' hertbrak. In fac' they're like rotten teeth, ill to get, ill to tine, and naething but a batheration a' the time ye hae them.

Shop bell heard ringing

ISHBEL. Now, do let Poppy mind the shop, Auntie Maria. A certain gentleman will be here soon and you must be at hand to receive him.

MISS TOSH. Weel, weel, awa' ye gae, Poppy, and gin ye canna be wise be as wise as ye can.

Exit POPPY *to shop*

ISHBEL. I have told Dugald so much about you, auntie, that he is quite looking forward to making your acquaintance.

MISS TOSH. Weel, Tibbie lass, and what kin' o' chap is he? Ony hicht and breidth aboot him. I dinna like shargars.

ISHBEL. His height? He is just the height of happiness. His breadth? Just the breadth of my heart.

MISS TOSH. Aye, aye, I doot it's nae muckle use my tellin' ye what I think o' the men folk?

ISHBEL [*laughing*]. None whatever. You evidently have no great belief in the sterner sex. Don't you know that woman's chief end is to educate some man.

MISS TOSH. Maybe, for some ither woman to get the guid o'. I'd far raither mak' a fule o' a wheen men than try to mak' a man o' ae fule.

ISHBEL. There's nothing of the fool in Dugald, and no one can make him look like one. But I must hurry to meet the bus. It ought to be along the glen in no time.

MISS TOSH. Weel, weel, I'll be here when ye come back and I'll hae a cuppie o' tea and something tasty til't for you and yer lad.

Exit ISHBEL *R. Enter* POPPY *L.*

POPPY. I've dean a graun' stroke o' bizness, Miss Tosh, I've sel't a yalla grauvit to the plumber.

MISS TOSH. And what was he seekin'?

POPPY. A yalla grauvit, to be sure.

MISS TOSH. H'mphm! Ye ca' that bizness, I'd ca't play. Gin he'd socht a yalla grauvit and ye'd gar't him buy a pair o' breeks, a fancy weskit and a nicht kep, I'd said that was bizness.

POPPY [*aside*]. She is an awfu' virago, there's nae pleasin' her.   *Shop bell rings again*

MISS TOSH. I'll gang mysel', jist ye bide here; the chap that's comin' to help me in the shop micht be here ony meenit, tell me when he comes. I maun get redd o' him afore Tibbie and her lad turn up. Pull up yer stockin's and gie yer face a dicht.

Exit MISS TOSH, *door L.*

POPPY. Twa men comin' to the hoose in ae efternune. [*In mincing tones.*] Oh, Miss Tosh, Miss Tosh, I'm surprised at you. But ye wadna ken what wad come oot o' this chap that's comin' to help in the shop. He'll fa' in love wi' me. He'll turn oot to be a prince in disguise. We'll be mairriet in the Tooer o' London. A' the papers in the kintra'll be fu' o' picters o' the beautiful bride— that'll be me. We'll gang on oor honeymune wi' a thoosan'-horse-pooer fleein'——

Knock at door, she peers out of window in state of great excitement

POPPY [*calling toward shop*]. Miss Maria, there's a chap at the door.

MISS TOSH [*calling from shop*]. Weel, g'wa and open't.

POPPY. But it's a livin' chap on twa feet.

MISS TOSH. It'll be the loon we adverteez't for. Let him in.

POPPY *opens door. Enter* DUGALD

DUGALD. Good afternoon. Is your mistress engaged?

POPPY [*ogling*]. Na, and niver was, she hates men like pooshon. I'm nae engaged eyther, tho' mony offers hae come my wey.

DUGALD. Ah, a case of Cinderella waiting for Prince Charming, is it? [*Aside.*] What a rum kid.

POPPY [*gleefully*]. That's the vera dunt, and I dinna think I'll hae lang to wyte. [*Aside.*] He's fairly smitten wi' me.

DUGALD. Will you kindly tell your mistress that I have arrived. I know she is expecting me.

Exit POPPY, *grinning and throwing back admiring glances*

DUGALD. I must have missed Ishbel on the road. It's a pity I took that near cut through the wood.

Enter MISS TOSH

MISS TOSH [*grimly*]. Aye, imphm, jist that.

DUGALD [*coming forward with outstretched hand*]. Aunt Maria, I presume.

MISS TOSH. Ye presoom ower muckle than, my birkie. Lat me tell you that a'body Misses me excep' oor Tibbie.

DUGALD. Oh, I'm sorry, but you and I will see a good deal of each other in future, we ought to be good friends.

MISS TOSH. Hoot, that depends on hoo muckle smeddum ye hae. D'ye ken onything aboot hoo to han'le peasemeal, potted heid and sa't herrin'?

DUGALD. You mean, am I a handy man in a house? Well, I am willing to learn, seeing that I am going to live with the finest girl in the world.

Enter POPPY. *She listens with delighted smile*

POPPY. Please, Miss Tosh, an auld mannie cam' into the shop, he speirt gin we sell't a' thing, I said we did.

MISS TOSH. Weel, what said he to that.

POPPY. He offered me a saxpence and socht a sicht o' something to scare awa' craws fae his tatties. I said he' better see you.

Exit POPPY

MISS TOSH. Silly breet! Couldna he sheet the craws to kitchie the tatties? Craw pie's fine. Noo, young man, seein' that ye're come I'd like to see fat kin' o' stuff ye're made o'. In the first place ye'll gang a bit erran' for me.

DUGALD [*surprised*]. Oh! Ah! certainly. Delighted, I'm sure.

Exit MISS TOSH

DUGALD [*aside*]. By Jove, that is some belligerent female. I am beginning to think she mistakes me for someone else. What a joke. I won't undeceive her till Ishbel turns up. She will laugh.

Enter MISS TOSH *carrying a large white apron, a zinc pail, a sweeping brush and a basket*

MISS TOSH. Noo, ye'll put on this apron and cairry the pail, the brush and the basket up to the hall at the heid o' the brae there. There's a bazaar there and a gatherin' o' a' the swanks o' the place. The lady at the door'll tell ye whaur to put them.

DUGALD. But—but—really, I say——

MISS TOSH. Oho! Ye maybe think yersel' ower big for that kin' o' job?

DUGALD. No, indeed, I'm a plain man. I call a spade a spade, not an agricultural implement. That's the great test, is it not?

MISS TOSH. Na, the great test is—fat ye ca' a spade when it fa's on a corny tae. Come awa' noo, I'm boss o' this hoose. Pit on thae duds and dae my biddin'.

He dresses in apron, shoulders brush and lifts pail, making much noise. Enter POPPY

POPPY. Is that anither chap at the door, Miss Tosh? [*grinning at* DUGALD].

MISS TOSH. No! There's naething in that tousy heid o' yours but chaps at the door. It'll be a lang time afore ony chap comes to adore you gin ye dinna learn some smeddum. Awa' ben ye go and nae stan' there wi' a face like a peel-an-ett tattie.

Exit POPPY

DUGALD. Really, I feel an awful fool, but I suppose I must do your bidding.

MISS TOSH. That's the maist sensible thing I iver heard a man say. Awa' ye step noo, and gin ye meet oor Tibbie and her lad, tell them that the kettle's singin'.

Exit DUGALD, *shaking his head ruefully*

MISS TOSH [*holding her sides and laughing*]. Aye, aye, they say it needs a lang spune to sup kail wi' the deil, but I jalouse it needs a ladle to sup wi' auld Maria Tosh. Weel, that's that, noo we'll see what's what.

Exit MISS TOSH, *R. Enter* POPPY, *L.*

POPPY. Eh, the duck's awa'. He's my affeenity, I feel't in my banes. He'll gang doon on his knees jist like Valentino in the picters wi' his han' on his hert. "Poppy," he'll say to me, "Poppy, ye're the cockle o' my hert and the . . ."

Laughter heard outside. She hides behind a chair
Enter ISHBEL *and* DUGALD

ISHBEL. The shop empty and no one here. I am sure I heard the irrepressible, apostrophising someone.

DUGALD. You mean the kid, Poppy. Pussy would be a more fitting name for her. She looks like a little cat ready to purr or scratch or yell as the occasion demands.

POPPY *grimaces and shakes her fist*

ISHBEL [*sitting on small chair*]. Really, my sides are still aching. When I saw you coming tearing along the road with all that paraphernalia I nearly had a fit. Poor Aunt Maria! To mistake you for her new assistant. She will feel mortified when she knows about it.

DUGALD [*divesting himself*]. I don't know when I
enjoyed a joke more. Ha! ha!

He sits down on large chair, shoves it forward and
POPPY *rolls on the floor*

DUGALD. Hullo, here's "Pleasures-are-like-poppies-
spread." Where did you fall from?

POPPY. Disna maitter whaur I fell frae, but what I fell
on, and that wasna' my feet, sae I canna be a cat efter a'.

POPPY *flounces out with angry face, L. Enter* MISS TOSH, *R.*

ISHBEL. Oh, Aunt Maria, to think you mistook my
Dugald for a common working man.

MISS TOSH. Sae this is yer lad, is't? And what's on-
common aboot him? Ye didna pick him oot o' a circus
or a freak show, I houp.

DUGALD. Now, Miss Tosh, I went forth at your bidding,
and came back at Ishbel's—a humble, but happy, man.

MISS TOSH. What are ye Miss Toshin' me at. Are
ye ower swank and prood to ca' me Aunt Maria seein'
that yer gettin' Ishbel—sic a name—jist oor Tibbie—
the best lass in the kintra—mind I'm tellin' ye.

They shake hands with great heartiness

ISHBEL. Oh, Aunt Maria. *Embracing her*

MISS TOSH. I wish ye muckle happiness, and I think ye'll
hae't, for happiness in mairriet life depends nae on love
only, but on love and lauchter. Yer lad's made o' richt
stuff, Tibbie lass. He kens hoo to mak' a fule o' himsel'
whiles. There's naething waur than a man that can niver
mak' a fule o' himsel' excep' ane that's aye daein't.

DUGALD. Aunt Maria, you are A1 and top-hole. You
are more, you are a woman of judgment and discernment.

ISHBEL [*laughing*]. But you never jumped to the fact
that this was my boy till that fact bumped up against you.

MISS TOSH. Eh, na, and him weirin' yer brooch for a
tie-pin and yer hankie stickin' oot o' his pooch and yon
fancy silk socks that ye knitted——.

DUGALD. What! You knew all the time?

MISS TOSH. Na, na, I keep my e'en in my pooch.

ISHBEL. Oh, you old trickster! You wanted to test his mettle.

MISS TOSH. Aye, and he stood the test——

It's easy eneuch to be pleasant
When a lass comes to cuddle and hug,
But the man worth while
Is the man that can smile
When an auld maid mak's him a mug.

Enter POPPY *solemnly*

ISHBEL. What's the matter, Poppy?

POPPY. I've been crossed in love. My youthfu' affeckshons hae been trampet on as a loon wad tramp golochs. I've been baws'ly deceived. I'm gyaun to dee o' a broken hert.

DUGALD [*producing a large box tied with red ribbon*]. Could you find any consolation in a box of chocolates?

POPPY [*seizing the box*]. Losh could I nae. This is worth a hunner thossan' chaps. Hooch!

She dances round hugging the box with one arm, waving the other and snapping her fingers. She collides with MISS TOSH, *treads on her toes, then sits down on floor*

MISS TOSH. My taes! My taes, lassie! what'll I say tae ye?

ISHBEL. Say nothin', Aunt Maria. Dugald is going to give a toast. We won't drink it, we'll eat it out of Poppy's box. Come, Poppy, you must rise to the occasion. POPPY *rises*

DUGALD. Poppy, "May the best you've ever seen be the worst you'll ever see." Aunt Maria, "May the mouse ne'er leave your girnal wi' the saut tear in its e'e."

MISS TOSH [*clapping her hands*]. That's the stuff. Dugal and Tibbie, "May yer lum aye keep on reekin' till yer aulder far gin me. May ye baith be jist as happy as I wish ye aye to be."

POPPY. Hurrah! And the more we are together——

ALL. The happier we will be. *They join hands*

Curtain

RABBIE BURNS

Thomas Grierson Gracie

The gist of the Author's first speech at a Burns' Supper

What can I say aboot Rabbie
  That hasna already been said?
What tribute pay tae his memory
  That hasna already been paid?
Great men an' clever hae a' had their say
  On the laddie wha followed the ploo';
The subject's owre big for a heid sic as mine;
  Them wha can dae it justice are few.

I've nae skill in the clinkin' o' classical words
  That some freen's o' ma ain think sae gran';
Sae dinna expect me tae gie ye a screed
  In a language I don't understan'.
Oor auld mither tongue, I mainteen, is the best,
  O' a' herts it can open the portal;
An' Rabbie wi' lyric an' hert-meltin' sang
  Has made the auld Doric immortal.

He sang o' the birdies, the trees, an' the flooers;
  He championed the cause o' the feeble;
He sang o' the joys an' the sorrows o' men,
  He stood against a' that was evil.
He sang in the major some rollickin' sangs,
  Which filled ilka hert fu' o' glee;
His sangs in the minor sae dowie an' sad
  Brocht the tears drappin' doon frae the e'e.

In oor grand "Scots Wha Hae" the patriot is seen;
  'Tis the slogan o' Scotland to-day;
An' whaur is the Scotsman, on hearin' its ca';
  Wad ever be last in the fray?

"The Land o' the Leal" is equally gran'
  In conception of true human love,
An' belief in the Land whaur there's naething but joy
  'Neath the smile o' the Faither above.

"Flow gently, Sweet Afton," "To Mary in Heaven,"
  "The Lea Rig," "My Nannie's Awa'"—
Such gems o' love-sang oor best minds declare
  Made Rabbie the king o' them a'.
When his hand swept the strings o' auld Scotia's lyre
  The notes were sae bonnie an' sweet,
Like the heavenly bliss o' the fond lover's kiss
  When in their ain Eden they meet.

Let the story, the toast, the speech, an' the sang,
  An' the glass tak' their coorse roun' the table;
Though it mayna be muckle that ilk yin can dae,
  At least let him dae what he's able.
Tae help in the cause we a' hae at hert
  Let's toast it afore we disperse—
That brithers we'll be on the land an' the sea,
  Embracing the hale universe.

From *Songs and Rhymes*, by a Lead Miner. By kind permission
of the Author

THE COORTSHIP O' MEG DUNLOP

"RESTALRIG"

D'YE ken, it jist seems like yesterday since Adam and I first met, and yet it's thirty-three years past last Hansel Monday since I changed my name frae Meg Dunlop to Mrs Adam Stavert! Altho' I say it masel' that shouldna I cairret my thirteen stane weel! I aften think it was my wecht that cairret the day! No' that I wis bad-lookin'. A' the Dunlop faimily have had fine faces! The only thing that sort o' spoiled us like were oor noses! They were inclined to be owre muckle o' the Roman in style. But that, nae doot, accoonts for oor romantic nature.

But, as I wis tellin' ye, it's thirty-three years since we were mairret, and aften I think on oor coortin' days. It was an awfu' time! D'ye ken, I had tae dae a' the coortin' mysel'. Him coort? Ye dinna ken him. He couldna say "Boo!" to a goose! I'll never forget the first time I spoke to him. It was at Bathgate half-yearly feeing fair, an' I had driven owre frae Torphichen. My faither had The Mains at that time, and we were in need o' a lass, so I jist drove owre mysel'.

Big Patie Broon o' Glenswirly wis amang the crood. I had aye a notion o' Patie, but I never could get the richt side o' him somehoo. Oh, he wis aye nice enough an' a' that, but his talk never got ayont beasts. "Hae ye been buyin' weel the day, Meg?" and so on. But never a cheep aboot love affairs.

I aften thocht he half-suspeckit I had my e'e on him, because the day he introduced me to Adam Stavert he had been telling me aforehand that he had a "fine ferm had Adam, an' some fine cattle, and there's nae sayin' whit he's got in the bank!" I wis thinkin' to mysel'—"My dear Patie, if ye'd only say the word I'd mairry ye the morn withoot ony o' thae accessories!" But na! it wasna to be.

When he introduced me to Adam Stavert I nearly collapsed. What a blend I thocht to mysel'. Braw big Meg Dunlop, wi' her thirteen stane o' guid solid flesh an' bane, an' a face aye as red as a frosty mune, alang-side o' a peesy-weezy milk-an'-water delicate-looking object! When I think o' it, I aften wunner hoo we got through the weddin' ceremony! I mind meetin' yin o' my auld sparks, Sandy Nesbit, jist aboot a month efter we were mairret, an' whit d'ye think he said to me? "Ye'll be gaun to nurse him on yer lap, Meg." D'ye know, I felt black-burning shame. That did I. Said I to Sandy—"Ye'r a very nesty person, makin' such a remark aboot any newly-married man." And if he hadn't the audacity to say "he was sorry if he had offended me, as he meant it in kindness." That was adding insult to injury with a vengeance.

But oor coortin'! Oh, haud your tongue! Mony a quiet laugh I get to mysel' owre the heid o't. Whiles, when I went owre tae his ferm, The Stookery, we wad wander owre the fields, an' sit doon sometimes by the Ballopy Burn. He wad tak' my haun' in his an' smooth it. "Ye've a nice-shaped haun', Meg," he wad say. "Och, aye," I wid say, "dinna be feart to squeeze it," and then he wid say, sae simple-like, "Oh! I widna think o' daein' that, Meg, no' until we're mairret! It would be takin' an undue liberty." I simply had to roar! I couldna help mysel'. An' yet I felt sorry the next meenit. I saw it hurt him, and efter a', mind ye, he was the catch o' the coonty. My fegs! he wis that. I had nae idea what a rich man I wis mairryin' at the time.

But as time wore on I had him broken in a bit; but, of coorse, no born woman could ever mak' a man o' Adam Stavert! I've tried for thirty-three years noo, an' I've never got him up to the scratch. Ye ken what I mean. I've never got him up to the level, say, o' big Patie Broon, o' Glenswirly. No! nor a quarter o' that length. Mind ye, wi' a' his money, he's been a big handfu' tae me.

I'll never forget the first nicht he kissed me! I say, I could scream the hoose doon when I think o't! Oh, dear! oh, dear! Every time I tell the story I'm sair for a week efter't! We had been coortin' aboot a twelve-month when ae nicht he said, "I suppose, Meg, when we're pairtin' we really should kiss ane anither!" Hoo he got the words oot o' his mooth guidness only kens! It maun hae been a terrible effort for him. But that was naething to the actual operation, jist as he was biddin' me guid-bye. Ye talk aboot a couple o' doos peckin' at ilk ither! Weel it wis jist like that! Jist a peck—naething mair!

Noo, this was mair than I could stan', sae I thocht I wid jist tak' the bull by the horns richt awa'.

"Look here, Adam," said I, "time's gaun on an' I see I'll hae t' tak' ye in haun'." Sae wi' that I jist got my airms roun' him, an' if ever a man got a squeezin', Adam got it that nicht! An' I gied him twa rattlin' guid kisses, at the same time discovering that he hadna' shaved for twa-three days!

Noo, if that wisna' tellin' a man hoo to proceed, my name wis never Meg Dunlop! But wad ye believe it! Instead o' returnin' the compliment, a' that he said wis, "Eh, Meg, ye're a strong tyke, ye're jist the wife for me; ye'll be able to look efter the beasts when I'm awa' at the markets!"

Losh! preserve us! Can ye no' picture it yersel'! There was I, a big strong, strappin' wench—simply deein' for some man to come an' hug me, an' actually showin' ane hoo to proceed, an' a' the thanks I get is to be tell't I'll dae fine for the beasts. I mony time wunner hoo I stood it a'! But tae tell ye the rale truth when I heard o' big Patie Broon's mairrage, I felt a' hope wis gane, an' I thocht I had better jist hing on. Efter a', Adam wis aye a man, an' thro' time I hoped to get into his ways or bring him into mine.

But oh! my conscience! I think if I'd my days to begin owre again I'd mairry for love an' no' for siller, aye, even if it was to a hind or a plooman! Efter a's said an' dune, what's the guid o' a man unless he is a man. Nae wumman wants a Jessie, an' my man's ane! An' I've been tied to him for thirty-three years. The man has nae time for onything but beasts! His mind's a'thegither ta'en up wi' nowt an' sheep!

That jist minds me o' something. When we were gaun to be engaged he said he wad buy the ring in Auld Reekie, so ae big market day in he goes to buy the ring—and some beasts.

Like every other natural-born woman I was dying to see the ring on his return; but, of course, like every ither sensible daughter of Eve, didn't want to betray my anxiety. So when he came back I inquired what kind o' a day he had had in Edinburgh.

"Oh, a braw day," said Adam; "*Man*, Meg, there was some fine beasts!"

"Kennin' his weakness for beasts I thocht I wid get aff the subject, and gie him the cue to produce the ring.

"An' did ye buy onything?" said I.

"Oh, aye; twa or three stots," was his answer.

"An' naething else!"

"Aye, I got haud o' some stirks, tae."

"An' that wis a'?"

"Oh, no; I bocht a wheen nowt."

"An' that's the sum total o' yer day's buyin'?"

"Na; fegs, na; I managed to get twenty guid calves frae Fraser's folk!"

This was really as much as I could stand, so I had to blurt out what was uppermost in my mind:—

"So you didna' hiv time to get the ring?"

"Oh, aye, the ring, of coorse. Yes, here it is, my lassie," and feeling in his waistcoat pooch for the precious case, he was not long in handing it over. There was no attempt at putting it on my finger—that I did myself—but suffice it to say, it was a gem. What Adam Stavert buys, be it "beasts" or onything else, he buys weel.

Nae doot, he's aye thocht as muckle o' me as o' the "beasts," but he has a queer wey o' showin' it. He's gettin' gey frail noo, an' maybe my second coortship 'll mak' up for my first ane. Big Patie Broon is a widower noo! Never a cheep!

From *The Weekly Scotsman*, by kind permission of the Editor

R.S.V.P.

R. J. MacLennan

Maggie Macdonnell was a braw young lass,
Aye, a braw, braw lass was she.
An' a prood, prood lass when the meenister asked her
Wad she sing at the Kirk Soiree?
She was busy at her knittin' when the postie brocht the
    caird,
"O it's fine, I ken whit's on't," quoth he,
"But they Laitin letters bate me, an' I can mak'
    naething o't,
Whit's the meanin' o' R.S.V.P.?"

Says Maggie, "Stop yer speirin', and just mind yer
    ain affairs;
An' please ye leave ye mine to me."
An' awa' gaed the postie, wi' a grumph an' wi' a growl.
Wis there ever sic a tirravee?

Maggie Macdonnell was a sad young lass,
Aye, a sad, sad lass was she,
An' a wan'ert kin' o' lass when the meenister asked her
Wad she sing at the Kirk Soiree?
She read through the postcaird frae the openin' to the
    close,
An' syne a heavy sigh gied she,
Till the beads o' perspiration they were rinnin' doon
    her nose,
Through the riddle o' R.S.V.P.!

Says Maggie to her mither, "A'm fair bothered if I ken
Whit the message that they bring can be."
Says her mither, "He's a bachelor. He maybe sends
    his love."
An' she lauched wi' a high "He! He!"

Maggie Macdonnell was a fine young lass,
Aye, a fine, fine lass was she.
An' the wye that the meenister and her cairret on
Wis the talk at the Kirk Soiree.
'Twas him that saw her hame, an' when staunin' at the
    gate,
In the shadow o' the auld yew tree,
He gripped her roon' the waist, and he kissed her wi' a
    wull,
And Maggie she—R.S.V.P.

She glanced at him sae coyly that he fairly lost his hert,
'Twas a sicht richt guid to see.
"Am ower young tae mairry yet," was the sang that
    Meg had sung,
Said the meenister to himsel', "Maybe!"

Maggie Macdonnell is nae Macdonnell noo,
She's the wife o' the gleg Wee Free!
For she readily consented when the meenister he asked
    her
On the nicht o' the Kirk Soiree.
The invites to the waddin' they were oot or verra lang.
An' the Postie he said, "Whit's this I see,
If they hivna had the impidence to send ane to the
    Laird,
An' pit on it R.S.V.P."